D1235283

L'INTELLIGENCE DE LA LITURGIE

PAUL DE CLERCK

L'INTELLIGENCE DE LA LITURGIE

Liturgie

LES ÉDITIONS DU CERF
PARIS
1995

(29, boulevard Latour-Maubourg
75340 Paris Cedex 07)

ISBN 2-204-05128-4
ISSN 1151-7115

À tous ceux qui m'ont appris
à comprendre la liturgie,
et à l'aimer.

On ne saisit pas ce qui vous saisit
PATRICE DE LA TOUR DU PIN
(*Une somme de poésie,* Paris, 1983, t. III, p. 256).

Je tiens à remercier de tout cœur les amis qui ont bien voulu lire une première version de ce livre et me proposer leurs observations : Marie-Armelle Girardon, Christian Larrain, Béatrice Milcamps-Sépulchre, Liliane Pépin, Étienne Van Billoen, et ma sœur.

INTRODUCTION

Le titre de ce livre peut paraître présomptueux. Il connaît heureusement des antécédents, qui réduisent la prétention[1]. Qu'y a-t-il à comprendre à la liturgie ? Cette succession de paroles et de gestes sans cesse répétés a-t-elle vraiment un sens ? Peut-on prétendre qu'elle est « intelligente » ? À voir l'état de certaines assemblées, on peut effectivement en douter.

Et pourtant, en étudiant la liturgie, son intelligence, sa sagesse et l'intérêt de ses propositions m'apparaissent de plus en plus vivement. Prenons d'emblée deux exemples, qui permettront de nous comprendre.

Commençons, comme il se doit, par le plus simple : le déroulement de la messe et son architecture. Après l'ouverture, la première grande partie s'appelle *liturgie de la Parole* ; elle consiste en l'écoute de la Parole que Dieu adresse à son peuple. Il faut bien débuter par quelque chose, me direz-vous. Mais la manière de commencer est extrêmement significative : on se met à l'écoute, on tend l'oreille vers l'Autre ; la toute première parole de la messe

1. Le tome XIII des « Cours et conférences des Semaines liturgiques. Louvain, 1935 » porte comme titre *L'Intelligence de la prière liturgique* (Louvain, Abbaye du Mont-César, 1937). Plus tard, Dom B. CAPELLE écrivit un livre intitulé *Pour une meilleure intelligence de la messe* (même éditeur, 1946 ; 2e éd. 1955). Dom Th. MAERTENS publia lui aussi plusieurs articles sous le titre « Pour une meilleure intelligence du canon de la messe », dans la revue *Paroisse et liturgie*, en 1959 et 1960.

nous avait déjà proposé la rencontre du Christ, en nous disant : « Le Seigneur soit avec vous ! »

Le plan de la messe nous révèle ainsi la structure même de la foi, qui est initiative de Dieu avant d'être mouvement de notre part. *Fides ex auditu*, disait saint Paul (Rm 10, 17) : « la foi vient de ce qu'on entend » ; elle commence par la découverte d'un Autre, par l'écoute de Quelqu'un qui nous adresse la parole. L'altérité est plantée d'entrée de jeu ; elle structure notre existence croyante. Par là même s'éclaire aussi la raison de notre présence : nous sommes invités par Dieu au repas des noces de son Fils. On le voit, les données les plus fondamentales de la foi sont inscrites dans la manière dont la liturgie se célèbre. Comment prier, sinon à la façon dont la liturgie nous apprend à le faire, en commençant par nous mettre en présence de Dieu, et par l'écouter.

Autre exemple, à propos du baptême cette fois, plus précisément de l'initiation chrétienne. Dans notre société sécularisée et pluriculturelle, c'est assez souvent à l'âge adulte que nombre de gens s'intéressent soudain à l'Évangile, au Christ, à la manière de vivre des chrétiens, et demandent le baptême. On comprend que celui-ci ne soit pas célébré le lendemain ; en fait, l'Église propose alors un temps de catéchuménat. Mais quand donc l'initiation est-elle terminée ? Est-on jamais entré suffisamment dans le mystère ? Ici encore la liturgie offre une réponse. Elle prévoit que l'initiation prenne fin lors de la vigile pascale, par la célébration des trois sacrements de baptême, de confirmation et d'eucharistie. Les deux premiers ne peuvent être réitérés ; mais le troisième se répète. C'est dire que l'initiation s'achève... sur une réalité qui ne s'achève pas. D'une part, le catéchuménat est terminé ; les fondements sont posés, une fois pour toutes, à l'encontre des inquiétudes théologiques ou des scrupules de conscience. D'autre part, il débouche sur l'eucharistie, à laquelle on est invité chaque dimanche. Ainsi, la manière dont la liturgie propose l'initiation chrétienne montre qu'on est convié à approfondir sans cesse ce qu'on a commencé à entrevoir, pour le reprendre et en vivre dans les circonstances les plus diverses de l'existence. N'est-ce pas un modèle subtilement agencé ?

Ce livre voudrait donc faire partager une conviction. La liturgie est plus intelligente qu'on ne le pense habituellement ; elle recèle plus de richesses que ce qui en est souvent donné à voir, à entendre, à vivre. À la différence de ce que beaucoup de gens peuvent penser, les éléments qui composent la liturgie ne se présentent pas comme les pièces d'un puzzle qu'un malin génie aurait jetées en l'air, qui seraient retombées par terre dans le désordre et qu'on aurait ramassées sans se préoccuper aucunement de leur agencement. En fait, à y regarder de plus près, les structures de la liturgie offrent un sens, tout comme ses éléments, qu'ils soient textes ou rites.

Cette conviction en suppose une autre. Trente ans après les décisions conciliaires de réforme, on ne fait que commencer à découvrir ce que peut être l'action liturgique d'un peuple qui y participe avec intérêt. Il faut prendre acte du fait que, depuis au moins un millénaire, les textes de la liturgie, célébrée en latin, étaient devenus incompréhensibles ; c'est un des éléments qui ont créé le fossé entre liturgie d'une part, piété et dévotions d'autre part, fossé parallèle à celui qui a séparé pendant si longtemps théologie et spiritualité. En fait, les chrétiens participaient bien à la liturgie, mais à leur manière, en « priant », comme on dit ; il faut reconnaître que souvent la liturgie était devenue comme une occasion de prière personnelle, mais que cette prière n'était pas celle de la liturgie elle-même.

L'objectif de ce livre est donc de développer l'intelligence de la liturgie, au double sens du terme. Il veut faire pénétrer dans son intelligence, c'est-à-dire la faire comprendre par ceux qui s'y intéressent. Mais il veut aussi montrer que, lorsqu'on la considère avec sympathie, la liturgie est intelligente. Par là même, il veut contribuer à une (ré)appropriation de la liturgie par ceux qui viennent la célébrer[1].

Mais sans doute faut-il s'entendre encore sur les deux mots qui composent le titre.

L'intelligence.

Qu'y a-t-il donc à comprendre dans la liturgie ? Que faut-il en comprendre ? On répondra plus amplement dans le chapitre premier. Mais pour nous mettre sur la route, prenons l'analogie d'une autre activité humaine, la musique. Que faut-il en comprendre pour l'apprécier ? Faut-il être musicien et être capable d'en jouer soi-même ? On aimerait. Faut-il être diplômé en musicologie, et pouvoir situer l'œuvre dans l'histoire de la musique ? Ce peut être intéressant. Mais on saisit d'emblée que ces deux compétences, tout utiles qu'elles soient, ne sont pas indispensables pour aimer la musique, et la goûter. Sans quoi les salles de concert seraient vides. L'essentiel n'est-il pas de se laisser prendre et toucher ; d'entendre, écouter, vibrer ? Pour l'apaisement, le plaisir, la joie. Les artistes auront atteint leur but. Et peut-être cette écoute attentive, et l'émotion qu'elle provoque, suscitera-t-elle un jour une carrière de musicien ou de musicologue.

À vrai dire, je préfère « saisir » à « comprendre ». Ce dernier verbe risque d'évoquer une compréhension trop intellectuelle, alors que « saisir » désigne aussi une intelligence intuitive. Surtout, il peut indiquer la saisie, le saisissement que l'on peut éprouver en chantant, en écoutant un texte, en prononçant une parole de foi.

Intelligence du cœur, comme on aime dire aujourd'hui ? L'expression peut être reçue de manière sentimentale ; elle

1. J'ai renoncé à écrire systématiquement « celles et ceux » chaque fois que je parlais des femmes et des hommes. La formule, à la longue, devient une ritournelle assez peu élégante. J'ose espérer que celles qui liront ce livre me feront crédit de penser que les femmes font partie intégrante de l'humanité, même si la langue française ne leur accorde pas toute la place qu'elles méritent.

peut disqualifier toute activité de l'esprit, et promouvoir la confusion en soutenant n'importe quelle interprétation subjective. Non. Mais il faut du cœur, bien sûr, pour comprendre, et une sympathie, une approche empathique de son objet d'étude.

La liturgie.

La liturgie, d'abord, ne se limite pas à l'eucharistie ; les exemples qui illustrent ce livre montreront que le terme s'utilise aussi adéquatement pour la célébration du baptême ou pour celle des funérailles.

De plus, le lecteur aura sans doute remarqué que le terme « liturgie » est équivoque. Le risque, à l'utiliser sans précision, est qu'il soit identifié à ce que chacun est habitué à voir et à entendre. On bute ici sur la pauvreté de la langue française, dans laquelle le mot désigne à la fois l'acte liturgique, avec toutes ses composantes : un temps et un lieu (qui conditionnent tant de choses), des textes, des gestes, des acteurs, de la musique ; mais aussi le rite prescrit, la liturgie telle qu'elle est prévue dans les livres ; et encore l'étude qu'on en fait, au sens où l'on parle d'un cours de liturgie. En cette dernière acception, les Allemands parlent toujours de science liturgique, et les protestants utilisent volontiers le substantif « liturgique » ; ce dernier n'est guère usité en milieu catholique, mais il a l'avantage de faire la différence avec la célébration.

La pauvreté lexicale du français a au moins l'avantage d'indiquer que la liturgie désigne avant tout l'acte de célébration. Pour ne pas s'égarer dans la suite de ce livre, il faut enregistrer dès le départ une distinction reprise à la linguistique, celle de l'énoncé et de l'énonciation. Prenons un texte : l'*énoncé* désigne ce qui est consigné dans le livre ; l'*énonciation* indique la manière dont le texte est lu : vite ou lentement, par un homme ou par une femme, avec ou sans micro, dans une cathédrale ou au sein d'un petit groupe, toutes conditions qui modifient considérablement l'effet qu'il produira. L'expérience commune, c'est que les plus beaux textes peuvent être massacrés par de piètres lecteurs, et qu'à l'inverse un chant dont ni la musique ni les paroles ne sont transcendantes peut emporter le cœur s'il est chanté par une assemblée joyeuse.

À ne pas tenir compte de cette distinction, on s'empêche de pouvoir parler. Car toute réalisation est particulière et échappe aux régulations prévues. Ainsi, il arrive souvent qu'on me présente le plan d'une célébration qui s'est déroulée ici ou là, en me demandant ce que j'en pense. Mais l'interlocuteur ne se rend pas compte que je ne dispose à ce moment que du canevas prescrit, sans rien savoir de son exécution : où et quand cela s'est-il passé ? avec quelles personnes ? combien de temps cela a-t-il duré ? toutes conditions qui déterminent notablement l'avis que l'on peut émettre. Autre bel exemple : le *Missel romain pour les diocèses du Zaïre* comprend, au *Gloria*, une rubrique d'une demi-ligne : « Ce chant peut s'accompagner de mouvements du corps. » Ces huits mots changent fondamentalement l'exécution de ce chant, qui s'accompagne effectivement de danses autour de l'autel, et qui dure un quart d'heure !

Ici, on se situera avant tout, nécessairement, sur le plan de l'énoncé et de la prescription, pour essayer de comprendre ce que la liturgie propose. Mais on n'oubliera jamais qu'elle n'existe pas en dehors des célébrations effectives. Le but étant d'arriver à de meilleures réalisations.

Comprendre la liturgie (chrétienne).

Je voudrais donc montrer que la liturgie a son intelligence, et qu'il y a tout avantage à saisir la manière dont elle est construite, afin de pouvoir être saisi par ce qu'elle nous propose. Elle véhicule en fait toute une culture, ne fût-ce que des textes admirables, depuis l'*Exultet* de Pâques et son *Felix culpa*, jusqu'à des hymnes modernes dont on commence à peine à percevoir toute la profondeur. Je ne résiste pas au plaisir de citer au moins une strophe de l'une d'elles, d'entrée de jeu :

> *Dieu que nul œil de créature*
> *N'a jamais vu,*
> *Nulle pensée jamais conçu,*
> *Nulle parole ne peut dire,*
> *C'est notre nuit qui t'a reçu :*
> *Fais que son voile se déchire*[1].

En fait, la liturgie ne se propose pas seulement de transmettre une culture, mais elle cultive, au sens actif du terme. Car elle entraîne ses participants à sortir de leur isolement pour se rassembler ; elle leur adresse des textes nourrissants auxquels se confronter ; elle invite à chanter, ou à admirer en silence la flamme d'un cierge ; elle fait poser des gestes que jamais on ne ferait, comme adorer une croix, en solidarité avec tous les suppliciés de la terre.

On aura compris que je ne traiterai pas ici de l'intelligence des offices liturgiques en particulier, comme le baptême ou la messe ; il existe de bons livres à ce sujet. Mon propos consiste plutôt à présenter l'intérêt de la liturgie comme telle. Car ce qui manque le plus souvent, c'est l'intelligence de ce qu'elle nous propose. Comment s'y rapporter ? Quelles relations entretenir avec elle ? Il y faut, à vrai dire, une certaine sympathie, comme à l'égard de toute activité humaine, sans quoi elle sera toujours ennuyeuse. Va-t-on au concert avec des pieds de plomb ?

Certaines personnes avec qui je m'entretenais de mon travail d'écriture m'ont demandé : « Est-ce pour tout le monde ? » Quel est l'objet de la question ? Si elle porte sur ce livre, le lecteur se rendra vite compte qu'il n'est pas

1. *Hymne de l'Office des lectures du mercredi II et IV* (Patrice de La Tour du Pin, L49). — Dans les références de ce genre (la lettre majuscule et le chiffre qui la suit renvoient à la classification habituelle des fiches de chant) je mets le nom de l'auteur entre parenthèses, car en droit les textes liturgiques sont anonymes. Ils ont été écrits par quelqu'un, nécessairement. Mais une fois promus au rang de textes liturgiques, ils sont proposés par l'Église, non par un individu. Cependant, pour nous qui venons de réaliser une réforme liturgique, il n'est pas sans intérêt de savoir que de très grands poètes y ont apporté leur touche. Ne s'est-on d'ailleurs pas toujours plu à rappeler que certaines hymnes latines avaient été composées par saint Ambroise ou par saint Thomas ?

réservé au club des spécialistes. Mais j'ai tendance à penser que la question portait à la fois sur l'ouvrage et sur son objet. La liturgie, en effet, évoque le plus souvent encore la chose des clercs, dont le peuple se trouverait exclu. Peut-être la question tient-elle compte aussi des personnes qui ne sont pas chrétiennes, et qui n'auraient pas accès à la liturgie ; elle peut provenir d'un malaise entre l'affirmation longtemps serinée : « Le christianisme est la seule vraie religion », et la découverte existentielle, en ces décennies, d'autres religions et sagesses ancestrales. D'où la mauvaise conscience d'avoir été trop longtemps enfermé dans un ghetto, et le souhait de ne plus s'y laisser emprisonner.

La liturgie est-elle pour tout le monde ? À mes yeux, elle est destinée à tous ceux qui s'y intéressent ; les portes des églises sont ouvertes, que je sache. Mais il est vrai que la liturgie chrétienne n'est pas celle de tous les humains. Ou plutôt, on constate que toute religion déploie un rituel, un système de médiations destinées à favoriser la rencontre de la divinité. Je suis convaincu que toutes ces « liturgies » sont intelligentes. Cependant, n'étant ni musulman ni bouddhiste, je développerai ici l'intelligence de la liturgie chrétienne. Il vaudrait mieux dire : des liturgies chrétiennes, car on verra qu'elles sont multiples, dans l'espace et le temps, même si elles possèdent des traits communs qui tiennent à la particularité chrétienne.

Ce livre est-il une *apologia pro vita mea* ? Étant donné les fonctions que j'exerce, j'ai tout avantage à ce que les gens estiment que je m'occupe de choses intelligentes. Là n'est cependant pas l'essentiel. Car j'ai retenu de certains de mes professeurs la conviction qu'il fallait oser croire en sa discipline. Il faut entendre les critiques, bien sûr. Mais il faut aussi avoir une conscience suffisante des ressources qu'offre la liturgie. Or ce livre est né d'une découverte progressive, surgie de l'étude comme de la pratique liturgique ; découverte de l'intérêt profond de la liturgie, malgré l'écart entre certaines pratiques et ce qu'on serait en droit d'espérer, mais aussi les joies qu'elle procure quand elle est accomplie par des gens qui y croient.

J'ai pris plaisir à écrire ce livre. Il n'est le produit ni d'une commande ni d'une exigence académique ou professorale. L'idée de l'écrire s'est imposée à moi petit à petit, comme un fruit de l'enseignement, de l'expérience pastorale et des questions si souvent entendues. En le terminant, je mesure mieux le risque qu'il y a à (s')exposer.

Ce livre est écrit deux ans et demi après la guerre du Golfe, symbole puissant des nouveaux affrontements mondiaux après l'écroulement de l'URSS ; en un temps où l'ex-Yougoslavie est livrée à la barbarie des conflits ethniques, où en Somalie les forces internationales font preuve de leur impuissance à régler les luttes locales, où le Zaïre est en train d'imploser. N'y a-t-il vraiment rien de plus urgent à faire que d'écrire un livre supplémentaire sur la liturgie ?

La question mérite d'être posée. Elle serait inquiétante si la liturgie concernait exclusivement ce qui se passe entre la sacristie et les degrés de l'autel. On aura compris que je ne l'y cantonne pas. Car la liturgie est un lieu où le salut de Dieu s'annonce et se célèbre ; un lieu de (res)saisissement, où l'on est invité à venir former le peuple de Dieu, heureux d'annoncer les merveilles de Celui qui nous introduit dans les joies de sa propre existence ; un lieu où l'on vient entendre les Béatitudes du prophète de Nazareth, pour y confronter sa propre vie ; un lieu où nous est communiqué le Souffle qui nous pousse vers nos responsabilités. J'espère donc que ce livre offrira une contribution, fût-elle indirecte, à la Paix. La liturgie proclame et chante que l'Agneau de Dieu porte et enlève le péché du monde qui éclate de manière si flagrante sous nos yeux ; c'est à lui qu'elle demande : « Donne-nous la paix. »

Bruxelles, juillet-août 1993.

CHAPITRE PREMIER

UNE LITURGIE INCOMPRÉHENSIBLE ?

> Les rites manifesteront une noble simplicité, seront d'une brièveté remarquable et éviteront les répétitions inutiles ; ils seront adaptés à la capacité des fidèles et, en général, il n'y aura pas besoin de nombreuses explications pour les comprendre [1].

Comment oser prétendre que la liturgie est bien faite ? N'entend-on pas les critiques et les récriminations de tous ordres ? Ne voit-on pas les églises se vider ? D'ailleurs, les débats sur le thème « liturgie et vie » ne surgissent-ils pas du fossé qui existe entre les deux termes ?

Le constat d'incompréhension, et en conséquence de non-participation des chrétiens à la liturgie n'est pas neuf. C'est l'idée maîtresse de ce qu'on a appelé le « Mouvement liturgique ». Né avec Dom Guéranger et l'abbaye de Solesmes dans le premier tiers du siècle dernier, il a été relancé par Dom Lambert Beauduin et l'abbaye du Mont-César à Louvain au début du xxe siècle. L'objectif en était la « participation active » ; il partait donc de la constatation d'une distance entre la liturgie et le peuple chrétien ; si ce dernier venait à l'église, il s'y occupait de diverses

1. Constitution conciliaire sur la liturgie, n° 34.

manières, en priant le chapelet ou en récitant les prières que l'on trouve dans les innombrables « livres de prières » de l'époque. Mais sa prière n'était pas en relation avec l'action liturgique ; le prêtre « disait sa messe », et les fidèles y « assistaient » ; à la limite, la liturgie se présentait comme un laps de temps pendant lequel chacun vaquait à sa prière personnelle, rythmée par quelques grands moments comme la lecture de l'Évangile pour laquelle on se levait, et la consécration pour laquelle on s'agenouillait, pendant que sonnaient cloches et clochettes.

QUELLE PARTICIPATION ?

On se rend compte, par ce rappel, qu'il existe plusieurs manières de « participer » à la liturgie. Celle que prône le Mouvement liturgique consiste non pas à y être présent et à y « prier » à sa manière, mais à s'unir à l'action que l'on célèbre, c'est-à-dire à faire de celle-ci une action commune. Cet objectif a été entériné par Vatican II dans la constitution sur la liturgie ; sur ses cent trente numéros, le thème de la participation « consciente, active et fructueuse » (n° 11) revient une dizaine de fois. Le terme « active » (en latin *actuosa*) mérite d'ailleurs attention ; il pourrait bien ne pas désigner n'importe quelle activité (participation confondue avec bougeotte), mais la participation à l'action liturgique elle-même ; la visée consiste à faire en sorte que l'assemblée redevienne le sujet de l'action liturgique. Cela suppose que l'eucharistie, par exemple, ne soit plus considérée comme « la messe du prêtre », à laquelle il permet aux laïcs de prendre part, s'il est gentil, mais comme l'action de toute l'assemblée célébrante. Non pas que tous aient à jouer au prêtre ! La célébration est le résultat de la coopération de nombreux services et ministères : l'accueil, la décoration, la musique, le chant, la proclamation de la Parole, la prière. Tous ont comme objectif de permettre à l'assemblée d'entrer dans l'action liturgique, « pour la gloire de Dieu et le salut du monde ».

Cela suppose, il faut le dire clairement, une autre conception de l'Église que celle que les chrétiens d'Occident ont héritée des siècles derniers. Ce n'est pas pour rien que le dernier concile a consacré ses efforts principaux à l'Église et à l'intelligence de son mystère. La plupart de nos églises reflètent, il est vrai, une Église cassée en deux, laïcs dans la nef, prêtre(s) dans le sanctuaire [1]. Si l'on construit aujourd'hui les églises autrement, ce n'est pas « pour faire moderne », c'est pour que les structures architecturales correspondent mieux à ce qu'est l'Église, « un peuple qui tire son unité de celle du Père, du Fils et de l'Esprit Saint [2] ».

Mais il suffit d'évoquer ces perspectives pour se rendre compte qu'on traîne là un lourd héritage ! Au regard de l'histoire, les décisions liturgiques de Vatican II apparaissent comme un projet vaste et de longue haleine ; certains esprits, déçus par les réformes, les ont traitées de « réformettes » ; mais les réactions qu'elles ont provoquées, notamment celles des intégristes — tout injustifiées qu'elles soient — montrent bien qu'elles sont seulement la partie émergée d'un iceberg.

Difficultés du langage liturgique.

L'idéal de la participation active est aujourd'hui reçu, même s'il est loin d'être réalisé. Les critiques portent avant tout maintenant sur le langage liturgique, qui serait, aux yeux de beaucoup, l'obstacle principal à une participation digne de ce nom. On incrimine le fait que la liturgie utilise (trop, ou mal) le langage biblique ; on ne critique pas

1. Et dans la sacristie, un des lieux les plus cléricaux qui soient ; la présence des ministres à la sacristie, avant la célébration, fait perdurer la cassure ecclésiologique dénoncée ci-dessus.

2. Phrase admirable de saint Cyprien († 258) dans son commentaire du *Notre Père*, citée par la constitution conciliaire sur l'Église, *Lumen gentium* (n° 4).

seulement les lectures de l'Ancien Testament, dont on se rend compte, bon gré mal gré, qu'elles font partie de la Bible, mais surtout le contexte que tout cela évoque : une société agraire, méditerranéenne, patriarcale, bref tout un monde que beaucoup — pas seulement les femmes — trouvent opprimant.

Les attaques fusent aussi contre les textes proprement liturgiques. Peut-être étaient-ils beaux en latin, mais il faut se rendre à l'évidence : ils sont intraduisibles en français, ne fût-ce qu'à cause du rythme dans lequel ils étaient coulés. Les responsables de la réforme de Vatican II s'en sont d'ailleurs aperçus : la prière d'ordination des évêques, qui remontait au ve siècle, traitait de l'épiscopat en jouant sur la typologie des vêtements d'Aaron ; on a estimé qu'elle était inaudible en langue vivante, et on l'a remplacée par un autre texte, tiré de la *Tradition apostolique,* écrite le plus probablement à Rome au début du IIIe siècle. Sans doute beaucoup de chrétiens auraient-ils le même réflexe s'ils chantaient en français les paroles du *Salve Regina* : « nous crions vers toi comme des exilés, enfants d'Ève [...] gémissant et pleurant en cette vallée de larmes. » L'exemple est intéressant : comme le chant est connu en latin, et permet de ce fait une action commune, on n'entend guère les paroles de ce qu'on chante.

La phrase qui agace le plus de chrétiens de ma génération est probablement celle qui vient après le *Notre Père* : « car c'est à toi qu'appartiennent le règne, la puissance et la gloire, pour les siècles des siècles. » L'énervement provient du fait qu'elle est nouvelle (elle n'existait pas dans le Missel tridentin), preuve qu'on pouvait s'en passer. Surtout elle accumule les termes qui présentent Dieu comme un potentat, modèle du dieu que l'on refuse ; c'est au nom du Dieu de Jésus Christ que l'on s'insurge contre ces absurdités d'un autre âge. Le contentieux est grave et profond.

Certains n'aiment guère non plus une série de symboles liturgiques : la goutte d'eau versée dans le calice (sans doute un des rares gestes que l'on a appris à qualifier de symbole, à une époque où ce terme n'était guère valorisé), les cendres, le lavement des pieds, même s'il vient de l'Évangile.

Bref, c'est tout le contexte de la liturgie, tout le monde qu'elle évoque dont certains voudraient se détacher, car ils l'estiment dépassé, désuet, vieilli et vieillot... liste d'adjectifs auxquels ils en ajoutent volontiers deux qui achèvent le procès : « médiéval » et « monastique [1] ».

La réplique consiste le plus habituellement à diminuer la quantité de termes qui agacent, de phrases qui énervent, de « symboles » qui font fuir ; on évite le berger et son troupeau, les séraphins aux six ailes, la soumission des femmes. Sans cependant pouvoir aller au bout de ce qu'on souhaiterait, car il ne resterait plus grand-chose. En lieu et place, on introduit les idées auxquelles on croit ; on change les prières, et on remplace les lectures du jour par d'autres textes, parfois non bibliques (*Le Prophète* de K. Gibran et *Le Petit Prince* de Saint-Exupéry promus, surtout pour les baptêmes et les mariages, au rang de Bible pour aujourd'hui). C'est souvent ce qui se passe lors des préparations de messe ; la question est parfois formulée explicitement : « qu'allons-nous pouvoir exprimer ? » (sous-entendu : en lieu et place de tous ces textes qui ne nous parlent guère). Ou pire, pour la vigile pascale : « qu'allons-nous supprimer ? », car dans l'esprit de ceux qui posent la question, cette veillée est évidemment beaucoup trop longue et ne peut qu'ennuyer les gens.

Cette mentalité provoque parfois des célébrations qui juxtaposent deux projets parallèles, qui ne se rencontrent donc pas. J'ai participé un jour à un enterrement où le prêtre accomplissait la liturgie officielle (celle dont il estimait, j'imagine, qu'il ne pouvait pas se défaire pour que cela reste des funérailles), et des membres de la famille la

1. J'ai essayé de m'expliquer sur ces difficultés dans un article intitulé « Le langage liturgique : sa nécessité et ses traits spécifiques » (*Questions liturgiques*, 73, 1992/1-2, p. 15-35) ; il a été repris dans L. LEIJSSEN (éd.), *Liturgie et langage. Hommage à Silveer De Smet* (*Textes et études liturgiques*, XII), Louvain, 1992, même pagination.

leur ; ils avaient chacun leur micro, et se donnaient alternativement la parole. Le prêtre lisait ses livres, la famille intervenait pour rappeler des aspects de la vie du défunt. C'était bien préparé, mais nullement harmonisé. C'était en fait la promotion de l'incohérence. Car il n'y avait pas d'actualisation de la liturgie en fonction de ce défunt particulier, mais exécution des prescriptions liturgiques d'un côté, et injection de traits vécus de l'autre. Certains appellent cela de la créativité ; quelles que soient les bonnes intentions, c'est plutôt la mise à mort de la liturgie.

QUELLE COMPRÉHENSION ?

Une fois de plus la question surgit : que faut-il comprendre dans la liturgie ? La liturgie doit-elle être compréhensible ? Le titre de ce chapitre contient un point d'interrogation, car il peut s'entendre en deux sens : les textes et les rites sont-ils incompréhensibles par la faute de la liturgie ? mais aussi : l'objectif de la liturgie est-il qu'on y comprenne tout à la première audition ?

Le père François Marty, professeur de philosophie au Centre Sèvres à Paris, a écrit il y a quinze ans déjà un article très éclairant sur le sujet. Il pose la question : « La liturgie doit-elle être compréhensible[1] ? » Il montre bien, dans la première partie de son article, que cette manière de changer les textes et de remplacer les rites mène en fait à les supprimer, ou du moins à ne pas les écouter. S'engager dans cette voie, c'est commettre une erreur d'analyse. Il écrit :

> La demande d'une liturgie « compréhensible » est légitime, dès lors qu'elle signifie un désir de participation

1. Dans la revue *Études* de mars 1979, p. 239-256. L'extrait cité ci-dessous se trouve à la page 244 ; c'est moi qui souligne.

> meilleure à la célébration. Nous avons simplement essayé de faire apparaître le malentendu, qui existe quand cette demande n'a d'autre objectif que l'*explication* des textes et des rites : elle tend alors à supprimer textes et rites. Or, dans la liturgie, il s'agit moins d'un enseignement à comprendre que de la proposition d'une *source* de compréhension, source nécessairement inépuisable, « incompréhensible », au sens précis du terme : on ne peut la prendre toute, en faire tout l'inventaire. Sinon, elle serait peut-être trésor inventorié, comptabilisé. Elle ne serait plus source, capable de produire de l'inattendu, du neuf. Tel est le sens de l'obscurité des textes, de l'opacité des rites. Ce sont autant de marques de l'impossibilité d'étreindre un don, celui de la foi, qui ne cesse d'excéder les expressions et les actions où il prouve sa vitalité. C'est pourquoi il est vrai qu'une liturgie doit, d'une manière ou d'une autre, manifester le « mystère » qu'elle célèbre.

La liturgie n'est pas d'abord un objet à comprendre intellectuellement, une chose à saisir pour en faire le tour ou la démonter, mais bien une source, donneuse de sens. L'attitude première ne consiste pas à l'analyser, mais à la laisser parler et à l'écouter, avec sympathie. Comme on le fait pour des œuvres d'art : l'essentiel n'est pas de les disséquer et d'en disserter, mais de les contempler, de les écouter, de laisser naître l'émotion. En art comme en liturgie, n'est-ce pas lorsqu'on ne comprend pas d'emblée la proposition que, paradoxalement, elle devient intéressante, intrigante ? La curiosité surgit, l'être est mis en éveil, l'objet d'art « fait son œuvre ». Une dynamique se crée, qui va donner envie de se reporter une nouvelle fois à l'œuvre, et nous enrichir de ce qu'elle nous aura fait découvrir. N'est-ce pas le but de la liturgie, finalement, de ne pas nous laisser en place ?

Cela permet de se rendre compte qu'il existe deux manières d'« animer » une liturgie. La première est médicale ; le patient est à la mort, on va s'efforcer de le réanimer. La seconde est dialogale : on se propose de laisser parler l'interlocuteur, de faire entendre l'œuvre liturgique, de laisser résonner ses harmoniques, d'en déployer les sens cachés. La première manière mène souvent à chercher des alternatives et à remplacer la liturgie par autre chose ; la seconde se donne pour but de faire goûter la liturgie elle-même. Le terme « créativité », on le perçoit, signifie tout autre chose dans l'un et l'autre cas : créativité menant à tuer la liturgie, ou à en déployer les virtualités.

Mais revenons à l'article de Fr. Marty. Dans sa seconde partie, il montre que l'incompréhension de la liturgie ne tient pas avant tout aux textes ou aux symboles utilisés. À ses yeux, les grands symboles liturgiques, comme l'eau du baptême, ou le repas eucharistique, ne peuvent pas, en eux-mêmes, être déclarés dépassés. S'ils ne sont plus compris, c'est à cause de la perte de l'*univers symbolique* au sein duquel ils prenaient sens d'emblée. Perte caractéristique de la culture occidentale actuelle, sauf peut-être en des lieux privilégiés comme des abbayes où effectivement la « compréhension » se fait mieux, ce qui pourrait expliquer leur force d'attraction.

Le diagnostic est essentiel. Les symboles liturgiques ne peuvent faire leur œuvre que dans un cadre, un projet global qui les rend compréhensibles. Inutile donc de vouloir remplacer des éléments sans ouvrir l'univers symbolique dans lequel ils pourraient prendre sens. La liturgie de Taizé me paraît un bel exemple de cette analyse. À l'examiner en elle-même, elle ne comprend rien d'extraordinaire qui expliquerait son succès. Mais elle est accomplie par une communauté dont le projet de vie est clair et probant ; dans ce contexte, réalisée par des frères qui y trouvent le souffle de leur existence, elle parle, et devient effectivement, selon le terme de Fr. Marty, une source pour beaucoup de chrétiens.

Il m'est arrivé à ce propos une aventure surprenante ; ayant participé à une eucharistie dont les chants étaient exécutés par une chorale de jeunes, j'ai eu envie, après la célébration, de féliciter la jeune fille qui la dirigeait. Comme je lui demandais cependant pourquoi, dans ce contexte, elle avait choisi un chant en latin (que je ne connaissais pas), elle fut toute surprise de ma question, puis me répondit : « Mais ce n'est pas du latin, c'est du Taizé. » Réponse extrêmement significative ; ce chant n'était pas une pièce isolée dont l'analyse aurait pu apprendre que les paroles étaient en latin, pour en conclure qu'il fallait l'éviter. Mais il était partie intégrante d'un univers symbolique valorisé, qui faisait en sorte que la langue de ses paroles ne constituait même plus un obstacle à son utilisation par des jeunes dont la plupart ne devait pas connaître un mot de latin. C'est ce qui explique aussi que nos aïeux, dont tous ne maniaient pas la langue de saint Augustin, « comprenaient » cependant quelque chose à la liturgie, ne fût-ce qu'à ses chants ; des générations et des générations d'Occidentaux ont eu dans l'oreille la messe de *Requiem*, dont quelques notes suffisaient à faire « comprendre » qu'il s'agissait de la mort ; dans combien d'œuvres musicales, des réminiscences du *Dies irae* n'évoquent-elles pas ce message, parfaitement reçu par des gens qui ne peuvent traduire un seul vers de ce poème ?

L'analyse du problème aboutit donc à deux conclusions. D'une part, les difficultés attribuées au langage liturgique ne proviennent pas d'abord ni simplement de l'emploi de certains mots, ou du vocabulaire utilisé ; elles dépendent fondamentalement du rapport que l'on entretient avec la liturgie, et de ce qu'on en attend : un objet à comprendre, ou une source de compréhension de notre existence. D'autre part, si les symboles liturgiques ne produisent pas leur fruit, ce n'est pas d'abord qu'ils seraient surannés, et à remplacer par d'autres, ou parce que « l'homme moderne » aurait perdu le sens symbolique [1] ; mais comme tous les symboles, ils ne font leur œuvre que dans un cadre de référence. L'essentiel est d'assurer le bon niveau de compréhension, et de permettre l'accession au symbole. Le plus difficile, c'est de réussir l'entrée dans l'action liturgique.

1. Qui veut se convaincre du contraire n'a qu'à regarder les publicités de la télévision.

PERSPECTIVES

Comment prétendre que la liturgie est bien faite ? L'affirmation posée au début de ce chapitre ne signifie pas que tout y soit parfait ! Je suis d'ailleurs payé, au sens propre du terme, pour le savoir, car l'étude en fait apparaître les défauts comme les qualités.

Souplesse.

Fr. Marty, à la suite de son confrère J. Gelineau, préconise d'ailleurs plus de souplesse dans l'utilisation des éléments liturgiques. Idée à laquelle on ne peut qu'applaudir, et qui donne lieu à des réalisations admirables... quand elle est mise en œuvre par des personnes aussi douées que le père Gelineau. La difficulté réside dans le fait qu'il faut d'abord avoir saisi ce qu'est la liturgie pour pouvoir s'adonner à une réalisation en souplesse. Sans quoi chacun met derrière ces mots ses propres idées, et l'on risque de retomber dans les travers dénoncés ci-dessus.

Durée suffisante.

Il m'arrive de rêver, dans cette ligne, à des célébrations plus longues. À l'inverse de ce que j'entends souvent dire autour de moi, et de la critique de liturgies trop longues, j'ai le sentiment que beaucoup d'entre elles sont trop courtes ; on n'y est pas encore entré que déjà elles sont terminées. Tout dépend, une fois de plus, de ce que l'on vient y chercher. S'il suffit d'« avoir eu sa messe », mieux vaut effectivement qu'elle soit brève. S'il s'agit de recevoir la Parole de Dieu comme une lumière sur notre route, de lui rendre grâce, et de communier, les données du problème se modifient !

La difficulté la plus sérieuse est celle de l'entrée dans la liturgie ; il faut parvenir à faire la transition, à opérer le passage de nos activités quotidiennes à l'action liturgique, du travail efficace à une activité symbolique qui nous prend tout autrement. Aussi, à l'encontre des solutions que l'on escompte de l'abrègement de la messe, j'imagine parfois des liturgies plus amples. Soit à la mode byzantine, très en vogue en certains milieux et où, très curieusement, je n'entends guère exprimer la requête de « compréhension », alors qu'on se trouve plongé dans un monde qui dépayse bien davantage ; mais peut-être est-ce là, paradoxalement, que se trouve la réponse au problème posé, dans la mesure où la liturgie byzantine est tellement différente qu'on saisit d'emblée qu'il ne s'agit pas de « comprendre », mais de se laisser saisir. Soit à la mode occidentale, où l'on se donnerait le temps non seulement d'une liturgie, célébrée avec aisance, mais aussi des retrouvailles, de l'échange et du partage des projets ; temps où les liens amicaux et ecclésiaux pourraient effectivement se tisser, et d'où surgirait une intelligence plus nette du rôle spécifique de la liturgie dans cet ensemble. C'est ainsi que je comprends la requête de personnes regrettant que la messe n'englobe pas le temps de l'apéritif...

POUR UN DIAGNOSTIC

Quelles sont donc les perspectives ? Quels chantiers ouvrir ? Oui, il y a des choses à changer dans la liturgie. Prenons l'exemple des oraisons ; leur contenu est riche, mais il est indéniable qu'elles sont nées dans une autre culture ; cela explique, entre autres, leur peu de résonance en nos cœurs. D'ailleurs, ne serions-nous pas capables d'en créer, comme l'ont fait nos prédécesseurs ?

Mais ce serait une illusion — et une erreur professionnelle, pour un liturgiste — de penser que l'on va améliorer la qualité de la prière liturgique uniquement à l'aide de meilleurs textes. D'une part ce serait négliger la différence entre énoncé et énonciation, présentée dans l'Introduction ; si l'oraison passe mal, aujourd'hui, ce n'est pas d'abord à cause du contenu de ses textes, mais parce qu'elle ne constitue pas un *acte* liturgique (ce qui se réalise déjà mieux, par exemple, lorsque celui qui énonce la prière se tourne vers l'abside, qui devient alors un lieu symbolique de Celui à qui l'on s'adresse). Aujourd'hui, les oraisons ne remplissent guère leur fonction ; elles permettent peu à l'assemblée d'exprimer à Dieu sa prière. En fait, elles passent inaperçues ; jamais il ne m'est arrivé, lors d'une préparation de messe, que des participants s'intéressent aux oraisons qu'elle comprend ou posent une question à leur propos.

D'autre part, ce serait en rester au niveau des éléments qui composent la liturgie. Or, si Fr. Marty a raison, le problème se situe en deçà, dans l'intelligence de la liturgie elle-même. Il faut travailler au renouvellement des éléments liturgiques, mais plus encore, et principalement, redécouvrir le type d'activité que la liturgie nous propose. Investir exclusivement dans la création de nouveaux textes supposerait que la liturgie est un objet à comprendre à la manière du journal, et que son incompréhension est due à quelques mots qu'il serait urgent de remplacer.

Si l'analyse proposée en ce chapitre est exacte, les liturgistes n'ont pas toutes les clés en leurs mains. Sans doute ont-ils leur pierre à apporter à la construction de l'édifice. Mais l'analyse de la réforme liturgique en cours et de ses risques de plafonnement montre que les lacunes proviennent de vues trop étroites. Le diagnostic porté sur la conjoncture est donc le suivant ; les difficultés proviennent :

— de l'état général de la religion dans le monde occidental, de sa place et du rôle qu'elle est appelée à jouer dans une société démocratique, après des siècles, non, des millénaires où elle a objectivement exercé le rôle de confortation du pouvoir, ou celui de contre-pouvoir ;

— de l'incompréhension de la liturgie comme telle, de son projet, du type d'activité qu'elle représente ; incompréhension typique d'une société technicienne, et qui est le fait de la plupart de ses acteurs, qu'ils se trouvent ou non dans le sanctuaire ;

— de l'inadéquation de certains éléments de la liturgie, comme on l'a dit ci-dessus.

Le premier point est un projet à long terme ; aucune activité sectorielle ne peut se donner comme objectif de le résoudre à elle seule. La distinction des points deux et trois est essentielle pour notre propos ; elle résulte de l'analyse opérée dans ce chapitre, et évite la confusion entre incompréhension des mots de la liturgie et inintelligence de la liturgie elle-même.

L'objectif de ce livre consiste à se situer au deuxième point, et à montrer que la liturgie est une activité globale, symbolique et ludique ; elle est plus proche du jeu gratuit que du travail productif. La nécessité de mieux s'entendre là-dessus est aujourd'hui patente. Sans quoi on s'obstine à demander à la liturgie ce pourquoi elle n'est pas faite, et à l'instrumentaliser au profit de réalités nobles et respectables, mais qui lui sont extrinsèques : la catéchèse, l'information, l'engagement, etc. L'exemple type est celui du « dimanche des moyens de communication » : quel est donc le projet de pareille assemblée liturgique ? On n'est pas au clair sur le registre auquel on se situe ; c'est ce qui explique que l'on ne comprend pas ce que l'on fait. Ainsi, on a constaté plus haut, à propos du *Salve Regina*, que l'on n'entend pas toujours les paroles de ce que l'on chante ; c'est vrai en français comme en latin, pour les chants profanes comme pour les cantiques. Si le chant se confondait avec une analyse théologique, des générations de chrétiens n'auraient pas souhaité entendre chanter à Noël : « Minuit, chrétiens, c'est l'heure solennelle où l'homme-Dieu descendit parmi nous, pour effacer la tache originelle et de son Père apaiser le courroux. » Mais que désiraient-ils entendre ? Ces paroles, ou une mélodie liée dans leur mémoire affective à la nuit de Noël, avec l'émotion qu'elle provoque, et l'évocation d'une fête si chère ? Le chant est une action commune plus qu'un véhicule de vérités doctrinales ; ce qui n'enlève rien à la responsabilité des liturgistes de ne pas faire chanter n'importe quoi.

La preuve du bien-fondé de cette analyse est fournie par les résultats des efforts consentis dans le domaine de la liturgie depuis la réforme conciliaire. A-t-on jamais produit autant de textes pour la liturgie que dans les années 70 ? On a écrit un nombre incalculable de poèmes, d'oraisons, de prières eucharistiques ; mais cela n'a pas amélioré la liturgie, au point d'ailleurs que certains s'en trouvent découragés. Il est grand temps de tirer les leçons de l'expérience. Ou encore : n'est-il pas vrai que c'est souvent le *Notre Père* qui, à la messe, est le moment de prière le plus intense, où l'on perçoit une véritable communion de l'assemblée qui s'adresse avec confiance à son Père ? Or le texte du *Notre Père* est très difficile à comprendre ; qui sait ce que signifie exactement « Que ton Nom soit sanctifié » ? La TOB (traduction œcuménique de la Bible) fournit une note explicative d'une demi-page, et elle a modifié sa traduction entre la première et la seconde édition ! Il n'empêche, cela fonctionne ; quelle que soit sa difficulté, le texte remplit son rôle de support de la prière, notamment parce qu'il est connu par tous depuis toujours (ou à peu près), qu'il n'exige donc pas d'effort autre que celui de la prière, c'est-à-dire de la rencontre confiante de Dieu. L'exemple de la liturgie de Taizé cité plus haut va dans le même sens.

Bref, pour que la liturgie (re)devienne une source de compréhension, la première démarche ne consiste pas à en changer les textes et les rites. Il s'agit de faire évoluer les attentes des chrétiens insatisfaits et leur attitude globale envers la liturgie. Il faut savoir, ensuite, que textes et rites se comprennent mieux quand l'acte qu'ils constituent est correctement exécuté ; l'exemple le plus limpide est celui de la prière eucharistique, très largement incomprise dans la mesure où l'on attend une parole adressée à l'assemblée, alors qu'elle est une prière à Dieu. Ce n'est qu'alors, si effectivement certains textes restent trop difficiles, qu'il y a lieu d'en créer d'autres, comme l'Église l'a toujours fait d'ailleurs.

Le présent ouvrage est fondé sur cette analyse. Son pari est d'en montrer la pertinence. Au lecteur d'en juger.

CHAPITRE II

UNE PERCEPTION DU CORPS ET DES SENS

La Règle de saint Benoît commence à parler de l'Office *ex abrupto*, au chapitre 8, en indiquant les heures auxquelles les moines se lèveront pour chanter les psaumes. Les chapitres suivants contiennent les prescriptions pour les différentes heures du jour et de la nuit. Cet ensemble se conclut au chapitre 19 par cette phrase : « Considérons donc comment il faut être sous le regard de la Divinité et de ses Anges, et tenons-nous à la psalmodie de façon que notre esprit soit accordé à notre voix[1]. »

« MENS CONCORDET VOCI »

En latin, la dernière phrase se dit : *« ut mens nostra concordet voci nostrae »*, abrégée dans l'adage fameux *Mens concordet voci*. Il est cité dans la constitution sur la liturgie de Vatican II aux numéros 11 et 90, ainsi que dans la *Présentation générale de la liturgie des heures* aux articles 19, 105 et 108. Il sert aussi de titre aux mélanges offerts en 1983 à Mgr Martimort, le grand liturgiste de Toulouse.

1. Règle de saint Benoît, Antoine Dumas (éd.), Éd. du Cerf, coll. « Foi vivante », n° 182, 1977 (2e éd.), p. 77.

La succession des mots, dans l'adage, pourrait faire croire que notre esprit doive indiquer à notre voix ce qu'elle a à proférer. Mais le sens de la phrase, renforcé par le subjonctif du verbe, dit au contraire que notre esprit doit correspondre à notre voix. La voix est donc première, et l'esprit est appelé à suivre. Dans le contexte, saint Benoît veut dire que les moines ont à chanter les psaumes et à laisser leur esprit s'en imprégner. La phrase, qui termine ses recommandations sur l'Office, correspond bien à la succession des chapitres : on dit d'abord comment faire, on indique ensuite le but spirituel escompté.

Cet adage peut être étendu, me semble-t-il, bien au-delà du domaine de l'Office. Il exprime à mes yeux une caractéristique essentielle de la liturgie, que nous allons approfondir en ce chapitre.

Il s'agit en fait du rapport intériorité-extériorité. À l'encontre de nos évidences, l'adage donne la priorité à la voix, c'est-à-dire dans le contexte au chant des psaumes, et plus largement à l'acte, corporel ou oral. Le souhait, c'est que l'action posée entraîne notre *mens*, c'est-à-dire notre esprit, notre mentalité, notre intériorité. Le mouvement va donc de l'extériorité à l'intériorité ! D'abord le faire, puis le comprendre ! Il ne s'agit ni à l'Office ni dans l'ensemble de la liturgie de trouver en soi de belles idées qu'on pourrait exprimer dans la célébration, mais au contraire de se laisser prendre par une action faite de paroles et de gestes destinés à transformer nos idées et toute notre vie.

Saint Benoît n'est pas le seul à exprimer ces vues. Il les reprend d'ailleurs, comme souvent, à la *Règle du Maître*, écrite peu avant la sienne et dans le même but ; on y lit par exemple : « Pour un office d'une telle importance, que le cœur se mette donc à l'unisson de la langue. » Et encore : « Que Celui dont le nom résonne dans la voix soit aussi dans l'esprit de celui qui psalmodie [1]. »

1. *Règle du Maître* 47, 14 et 18, éd. de Vogüé, « Sources chrétiennes », 106, p. 214-217. En latin : « *Ergo ad tantum et talem officium cor pariter cum lingua conveniat* » ; « *Qui sonat in voce, ipse sit in mente psallentis.* »

L'idée se lit déjà chez Ambroise ; décrivant le mystère eucharistique, il constate : « Et tu dis : " Amen ", c'est-à-dire : " C'est vrai. " Ce que prononce la bouche, que l'esprit le reconnaisse. Ce qu'exprime la parole, que notre cœur le ressente[1]. »

Saint Augustin n'est bien sûr pas en reste, lui qui s'écrie : « Que se réalise dans la conscience ce que montrent les lèvres[2]. »

On se rappellera enfin la prière personnelle du prêtre après la communion : « Ce que notre bouche a reçu, Seigneur, que nous le recevions dans un esprit pur[3]... »

À vrai dire, on trouve parfois aussi la pensée inverse, par exemple chez saint Cyprien : « Celui qui habite notre cœur, qu'il soit aussi dans notre voix[4]. »

Bien d'autres expressions semblables à cette dernière montrent que le mouvement n'est pas à sens unique.

Priorité à l'expérience.

Mais revenons à la signification particulière de notre adage. Il correspond à un trait fondamental de la catéchèse des Pères de l'Église, qui refusaient de parler aux catéchumènes de réalités dont ils n'avaient pas encore l'expérience. Ils font habituellement la catéchèse du baptême, en

1. *Des mystères,* 54, éd. Botte, « Sources chrétiennes », 25 *bis,* p. 189. Voir aussi *Des sacrements* IV, 25.

2. AUGUSTIN, *Sermon* 227 ; PL 38, 1109 : « *sicut ostendunt labia, fiat in conscientia* ». On trouvera encore beaucoup d'autres expressions semblables dans l'article de W. Cramer (*Mens concordet voci.* Zum Fortleben einen stoischen Gebetsmaxime in der Regula Benedicti », dans : *Pietas. Festschrift für B. Kötting,* Münster, 1980, p. 447-457) qui montre bien l'origine stoïcienne de l'adage.

3. Ordinaire de la messe, n° 138 (« *Quod ore sumpsimus, Domine, pura mente capiamus* »).

4. CYPRIEN, *L'oraison dominicale,* 3 (« *qui habitat intus in pectore, ipse sit et in voce* ») ; éd. Hartel, CSEL, III, 1, 268 ; éd. M. Reveillaud, Paris, 1964, p. 80.

tout cas celle de l'eucharistie, *après* que les catéchumènes ont été baptisés et eucharistiés lors de la vigile pascale. Car avant d'avoir vécu ces sacrements, que peut-on en comprendre ? Écoutons Ambroise : « Si nous avions pensé y faire allusion avant le baptême, alors que vous n'étiez pas encore initiés, on aurait estimé que c'était de notre part commettre une trahison plutôt qu'enseigner une tradition. D'ailleurs, la lumière des mystères pénètre mieux chez ceux qui ne s'y attendent pas que si une explication quelconque les avait précédés[1]. »

Discipline de l'arcane ? Non, puisqu'il met ses catéchèses par écrit et les publie ! Intérêt de l'effet de surprise, comme l'indique la fin du texte ? Oui, mais ce n'est pas l'argument principal, bien qu'il ne soit pas négligeable ; il permet notamment à Ambroise de procéder ultérieurement à sa catéchèse comme le ferait l'auteur d'un roman policier, interrogeant sans cesse ses auditeurs : « Qu'as-tu vu ? Que t'a-t-on demandé ? Qu'a fait l'évêque ? » Ses interlocuteurs ne devaient guère pouvoir s'endormir ! Mais l'argument principal, c'est qu'on ne peut comprendre une réalité qu'après l'avoir expérimentée. Avant cela, tout ce qu'on peut en dire, si élevé soit-il, reste de la théorie, car cela ne peut se raccrocher à rien dans l'expérience de ceux à qui l'on s'adresse. Il faut d'abord vivre, puis philosopher. Comment comprendre ce que l'on ne connaît pas encore ?

On se trouve donc en présence d'un principe d'intelligence de la liturgie, qui la propose comme une action appuyée sur une pédagogie sensorielle. Il faut d'abord poser l'acte, pour ensuite en percer l'intelligence. D'abord voir. Toute la catéchèse des Pères, à partir de là, consiste à faire passer de la vision sensible au mystère invisible. C'est tout le thème des *yeux du cœur* ; écoutons encore Ambroise : « Considère, toi aussi, les yeux de ton cœur. Tu voyais ce qui est corporel, avec les yeux de ton corps ; mais

1. AMBROISE DE MILAN, *Des mystères,* 2 (p. 157).

ce qui concerne les sacrements, tu ne pouvais pas encore le voir des yeux de ton cœur[1]. »

La catéchèse ne consiste pas à apprendre des notions, dont on trouverait ensuite des applications dans l'action liturgique. Le processus n'est pas de nature intellectuelle, il est beaucoup plus profondément corporel.

Si l'on essaye donc d'exprimer théologiquement la signification de l'adage, on dira qu'il affirme une priorité de la pratique sur la théorie, du faire sur le dire, de l'action corporelle sur la compréhension intellectuelle. Il énonce par là une caractéristique fondamentale de la liturgie. Car si la théologie travaille sur des signifiés, la liturgie, pour sa part, joue avec des signifiants. Louis-Marie Chauvet a frappé l'expression en médaille : « La loi fondamentale de la liturgie, ce n'est pas de dire ce que l'on fait, mais de faire ce que l'on dit[2]. » Cela explique l'inefficacité des volontés d'aménagement de la liturgie qui ne font que remplacer un texte par un autre. La liturgie contient des textes, bien sûr ; mais elle consiste en un ensemble de signifiants infiniment plus variés que des textes de prière ; les textes« passeront » quand ils seront insérés dans un acte.

Cette loi de la liturgie lui vient probablement de la tradition juive. Celle-ci, en tout cas, partage entièrement cette approche de la réalité religieuse. Lorsque Moïse communiqua la Loi de Dieu à son peuple, celui-ci répondit : « Nous la mettrons en pratique et nous l'entendrons »

1. AMBROISE DE MILAN, *Des sacrements* III, 12 (p. 99). À propos de la méthode catéchétique des Pères, lire l'excellent article de M. JOURJON (« Catéchèse et liturgie chez les Pères », *La Maison-Dieu,* 140, 1979-4, p. 41-49), complété par son ouvrage *Les Sacrements de la liberté chrétienne selon l'Église ancienne,* Paris, Éd.du Cerf, coll. « Rites et symboles », 12, 1981, p. 91-126.

2. L.-M. CHAUVET, *Symbole et sacrement. Une relecture sacramentelle de l'existence chrétienne,* « Cogitatio fidei », 144, 1987. Ce livre fondamental peut être considéré comme la base anthropologique et théologique des propos développés dans le présent ouvrage. On en trouve un résumé dans le livre du même auteur, *Les Sacrements. Parole de Dieu au risque du corps*, Paris, Éditions ouvrières, 1993.

(Ex 24, 7). La mise en pratique permettra de bien entendre. Écouter la Parole, c'est la mettre en œuvre. C'est comme les recettes de cuisine ; elles ne deviennent intéressantes que lorsqu'on les utilise.

Cette manière de faire est reprise par le christianisme. Tout le monde connaît la parole de Jésus : « Il ne suffit pas de me dire : “ Seigneur, Seigneur ” ! pour entrer dans le Royaume des cieux ; il faut faire la volonté de mon Père qui est aux cieux » (Mt 7, 21). On trouve des affirmations semblables dans l'Évangile de Jean :« Si vous observez mes commandements, vous demeurerez dans mon amour, comme, en observant les commandements de mon Père, je demeure dans son amour [...]. Vous êtes mes amis si vous faites ce que je vous commande » (Jn 15, 10.14). On connaît sans doute moins la parole de Paul : « Ce ne sont pas en effet ceux qui écoutent la loi qui sont justes devant Dieu ; ceux-là seront justifiés qui la mettent en pratique » (Rm 2, 13). Inutile d'évoquer le Jugement dernier tel qu'il est décrit par Mt 25, ou encore les recommandations de Jc 1, 22-25.

Ultérieurement, la tradition chrétienne connaît elle aussi cette attitude. Citons, à titre d'exemple, une homélie de Grégoire le Grand sur les pèlerins d'Emmaüs : « Les disciples dressent le couvert, servent la nourriture. Dieu, qu'ils n'avaient pas reconnu quand il commentait la sainte Écriture, ils le reconnaissent à la fraction du pain. Ce n'est donc pas d'entendre les commandements de Dieu, c'est de les pratiquer qui les a éclairés, selon ce qui est écrit : “ Ce ne sont pas les auditeurs de la loi qui sont justes devant Dieu, mais les observateurs de la loi qui seront justifiés ” (Rm 2, 13). Que celui donc qui veut comprendre ce qu'il a entendu se hâte de pratiquer ce qu'il a déjà pu comprendre [1]. »

Cette manière de lire le passage d'Emmaüs fait en sorte

1. GRÉGOIRE LE GRAND, *Homélie sur les évangiles*, II, 23, 1-2 ; PL 76, 1182D-1183A ; cité par P. PRÉTOT, « Les Yeux ouverts des pèlerins d'Emmaüs », *La Maison-Dieu*, 195, 1993-3, p. 29.

que Grégoire, comme tous les Pères d'ailleurs à l'exception d'Augustin, ne l'interprète pas à partir de l'eucharistie, mais y voit une leçon sur l'hospitalité : c'est en recevant le mystérieux voyageur à leur table qu'ils l'ont reconnu pour ce qu'il était véritablement.

Donner priorité au corps sur l'esprit, est-ce prôner l'obscurantisme ? Ou définir la liturgie de telle manière qu'elle deviendrait irrecevable pour la modernité ? Je ne pense pas. Car il ne s'agit pas de renoncer à l'intelligence de la liturgie ; le titre de ce livre en fait foi. Mais il faut en revanche devenir plus conscient de la manière dont la liturgie procède pour atteindre l'esprit : non pas intellectuellement, mais corporellement. Il ne s'agit pas davantage de nier l'importance de l'expression de soi ou de dénier l'intérêt de tout phénomène de création. Les livres liturgiques d'ailleurs, au long des siècles, n'ont fait qu'engranger des productions de tous ordres, prières, poèmes ou chants. Mais il faut reconnaître que la liturgie n'est pas d'abord un lieu d'auto-expression ; elle est de l'ordre du rite, non du *happening*. Pour reprendre l'expression de Fr. Marty citée au chapitre précédent, elle est source, plutôt qu'objet à saisir. Ne devient-on pas poète en lisant les poèmes des autres ? Connaît-on un musicien qui n'écoute pas de musique ? La liturgie est faite pour nous rendre créatifs, mais à partir de toute la richesse de ce que nous y aurons entendu, écouté, médité et intériorisé.

Cela est bien sûr à moduler. S'il faut être clair sur le principe, sous peine de ne pas s'entendre et de se fourvoyer sûrement, il faut aussi rendre le principe acceptable pour l'homme moderne qui soupçonne les manipulations et ne supporte pas d'être conduit sur un chemin sans savoir où on le mène. On n'est plus au temps des Pères, dans une culture imprégnée de platonisme. La science, elle, est fondée sur la vérification ; on aime savoir, et on en a le droit.

Oui. Mais c'est une illusion d'imaginer que l'on puisse faire partager la richesse de l'expérience par une explication préalable ; tout ce que l'on parvient à faire, dans cette ligne, c'est de rendre inintéressant ce dont on parle (en l'occurrence la liturgie). J'ai ainsi subi des cours de littérature qui m'ont dégoûté à tout jamais de la lecture des auteurs étudiés. Cette pédagogie met la chose à distance, l'analyse comme un objet, la commente intellectuellement plutôt que de la faire goûter existentiellement. Ce que la plupart des participants à une liturgie attendent, en outre, c'est qu'elle leur parle et les touche ; une « bonne » liturgie, selon eux, est une célébration qui contient des moments d'intensité, voire d'émotion.

La différence entre l'explication et le commentaire liturgique apparaît donc nettement ; la première tend à rendre l'acte liturgique inutile en se substituant à lui ; le second suit la réalisation de l'acte pour en déployer la signification.

LE RITE ET LE CORPS

Les propos développés ci-dessus se renforcent si l'on prend en considération l'aspect rituel de la liturgie. La mention du rite ne réjouit guère nos contemporains ; il évoque habituellement le carcan de réalités figées et sans vie. C'est confondre rite et ritualisme. L'existence d'abus ne doit pas évacuer l'usage sain de la chose. On ne s'empêche pas de boire du vin à table sous prétexte que certaines personnes sont alcooliques. De même, il n'y a pas à craindre une réalité aussi profondément humaine que le rite. Les anthropologues nous ont fait redécouvrir l'intérêt de ces comportements, avant tout sociaux, qui permettent de gérer des situations dans lesquelles les enjeux humains sont tels, et si difficiles à exprimer, qu'on les célèbre par un agir commun du groupe. En toute société, les rites fondamentaux concernent la naissance et la mort, puis tous les passages décisifs : adolescence, mariage, etc., ou des circonstances dans lesquelles le groupe lui-même est concerné, comme la fête qui célèbre sa propre origine. Or le rite est fondamentalement corporel.

La première caractéristique du rite est sa répétitivité. Par définition, en effet, un rite ne se produit pas une seule fois, mais il consiste essentiellement en la reprise de comportements — d'un programme, seconde caractéristique — auxquels d'ailleurs on le reconnaît. Ainsi quand on voit, à la mairie ou à l'église, un groupe de personnes entourant une dame en robe blanche, on se dit : c'est un mariage.

Le caractère répétitif du rite est souvent perçu comme un ennui, engendrant la monotonie. Cela ne devrait cependant pas faire oublier une autre caractéristique du rite, qui s'allie subtilement à la première : il est toujours unique et particulier. Ainsi le mariage ; les rites nuptiaux comprennent un programme (une parole d'engagement devant une personne qualifiée pour la recevoir, un repas, la robe blanche...), qui fait en sorte que se marier consiste à accomplir ces gestes, comme l'ont fait tous ceux qui nous ont précédés. Mais en même temps, chaque mariage est unique, car il célèbre l'alliance de telle et telle personne, en leur unicité : c'est la première et la seule fois qu'une telle union aura lieu dans l'histoire de l'humanité ! Si d'ailleurs des accompagnateurs de la préparation au mariage comparent à d'autres le jeune couple qu'ils reçoivent, celui-ci s'en trouve le plus souvent agacé, car il a le vif sentiment d'être unique : jamais deux personnes ne se sont aimées de cette manière, ce qui est à la fois vrai, et quelque peu illusoire. La langue elle-même participe d'ailleurs à ce caractère rituel ; car ces mêmes amoureux, si neuve et extraordinaire que soit leur aventure, ne parviennent à se dire le fond de leur cœur qu'en reprenant les mots de la langue commune, reçue de leur culture, et cette phrase cent mille fois entendue : « Je t'aime. » Les mots sont les mêmes, c'est l'aspect programmé ; mais ce qui est ressenti est nouveau, car chaque couple est unique.

Il en va ainsi de tout rite. Même l'eucharistie, qui se répète à la limite tous les jours, je ne pourrai la célébrer *aujourd'hui* qu'une fois dans ma vie.

On aimerait souligner ici que la répétition rituelle offre aussi une chance. Car elle fait en sorte que l'action liturgique ne doit pas être comprise en tous ses aspects lors de chacune de ses réalisations. Il n'est pas indispensable de tout comprendre à la première audition, puisque j'aurai encore souvent l'occasion de participer à la même action. On se trompe sur la nature de la liturgie lorsqu'on estime que tous les participants doivent en comprendre l'intégralité lors d'une seule célébration. On peut le souhaiter de l'homélie ; si elle est un rite au sens où elle fait partie du déroulement rituel d'une eucharistie, elle ne se répète cependant pas à l'identique à chaque messe. Mais il serait erroné de se fixer cet objectif pour une lecture, une prière, un geste. Aucun participant à une action rituelle, en fût-il le meneur principal, n'est maître de la manière dont cette action est reçue par chacun des participants et résonne en eux. En fait, la perception en est différente selon que l'on est homme ou femme, enfant ou personne âgée, en forme ou pas. N'est-il pas de ces phrases d'Évangile que l'on a entendues cent fois, et qui à la cent unième fois prennent une signification toute neuve ? Le propre de la liturgie est de s'offrir à ceux qui y viennent ; chacun en retire la part qui lui convient. Les meilleurs textes, pourrait-on même dire, sont ceux que l'on ne comprend pas d'emblée, mais qui intriguent, qui éveillent l'attention, au point qu'on a envie de les réentendre un jour. Une liturgie dont on comprendrait tout ne serait-elle pas bien pauvre ? L'éveil est plus important que l'impression d'avoir tout compris, avec l'envie de ne plus y revenir...

Surmonter la routine.

Le caractère rituel de la liturgie lui confère aussi une manière particulière d'affronter la routine. Mieux vaut d'abord reconnaître qu'elle existe, même dans les actes religieux, plutôt que de la nier sous couvert de vertu. La voie proprement liturgique d'y faire face ne me paraît pas être le volontarisme, cette manière de bander ses énergies pour surmonter l'obstacle ; à la longue, c'est fatigant. La liturgie, experte en humanité, offre une voie plus sage.

C'est d'abord de venir à la liturgie, même quand on n'en a pas envie. L'envie serait un facteur déterminant s'il s'agissait d'une action individuelle ; mais précisément, la liturgie est communautaire par nature. Mon humeur n'est donc pas un critère décisif pour m'y rendre ou pas. Y venir, et éprouver peut-être une furieuse envie de fuir, mais en être retenu à la vue de frères et de sœurs qui m'attendent. Me trouver là avec d'autres, ce qui modifie déjà considérablement la situation, car la présence de frères et de sœurs peut faire voir les choses bien différemment. Entendre des paroles, même si l'on n'est guère disposé à les écouter. Se lever, chanter *Alleluia*... au point de s'y laisser prendre et de finir par chanter de bon cœur, et d'être content d'être venu et d'avoir quitté sa mélancolie.

En fait, on ne vient pas à la liturgie parce qu'on en a envie ou parce qu'on se sent bien ; on y est invité par le Seigneur, ce qui est la seule raison sérieuse de s'y rendre, et tellement plus personnelle. Se laisser atteindre par la routine et attendre d'être en forme, c'est se tromper en pensant qu'on a soi-même l'initiative, alors qu'on est attendu. La forme, d'ailleurs, peut mettre longtemps à venir.

Ces perspectives sont importantes aussi pour la manière de considérer le prêtre, dans la célébration. Jadis, quand la liturgie était latine, le rôle du prêtre était extrêmement codifié ; la science liturgique était d'ailleurs devenue celle des rubriques. Aujourd'hui, langue vivante aidant, on est passé à l'autre extrême : la personnalité du prêtre, qui autrefois ne transparaissait pratiquement que dans l'homélie, risque maintenant de prendre trop d'importance, au point que certains choisissent leur église en fonction des qualités de tel ou tel célébrant. On comprend, car effectivement le prêtre n'est pas un robot, et certains ont plus de dons liturgiques que d'autres. Mais en fait c'est une impasse. Car la liturgie n'est pas un spectacle ordonné par un seul au profit d'un public qui devrait s'extasier devant les qualités de l'acteur. Elle est l'action d'un peuple ; c'est lui qui doit imprimer sa marque beaucoup plus que celui qui n'en est que le ministre, c'est-à-dire le serviteur. Le rite est en fait une protection contre l'envahissement du groupe par le pouvoir d'un seul, ou ses caprices. La liturgie n'appartient pas plus au prêtre qu'à l'assemblée ; il n'en est pas propriétaire. Celui qui la modifie s'arroge un pouvoir qui ne lui appartient pas. Mais les livres liturgiques eux-mêmes laissent une marge de liberté pour l'exécution du rite.

LA LITURGIE ET LE CORPS

La liturgie est fondamentalement l'action d'un corps. Un corps social, un groupe de femmes et d'hommes ; on en reparlera dans le chapitre sur l'Église. Mais aussi le corps propre ; loin d'être une activité exclusivement intellectuelle — j'espère que le titre de cet ouvrage ne renforcera pas cette idée trop courte — la liturgie s'adresse beaucoup plus globalement à tout le corps [1].

Il y a quelques années, j'ai reçu un coup de téléphone d'un membre assez éloigné de ma famille, m'annonçant les fiançailles de sa fille, et ajoutant que cette dernière aimerait bien que je bénisse son mariage. J'ai accepté, et rencontré la fille, que j'avais dû voir deux ou trois fois auparavant, ainsi que le garçon que je ne connaissais pas du

1. Lire à ce propos les deux numéros de *La Maison-Dieu* (187 et 188, 1991-3 et 4), intitulés « Voir, entendre, goûter », et surtout l'article programmatique de J.-Y. Hameline, « Le Culte chrétien dans son espace de sensibilité », *La Maison-Dieu*, 187, p. 7-45.

tout. Après quelques rencontres, les liens s'étant noués, je n'ai pas résisté à la tentation de demander pourquoi elle avait pensé à moi pour son mariage, alors qu'on se connaissait si peu. Sans hésiter un instant, elle m'a dit : « Quand j'avais neuf ans, je suis allée à ton ordination, dans une grande église. À un moment, vous vous êtes tous couchés par terre, et il s'est fait un grand silence. Cela m'a fort impressionnée. Dès que nous avons parlé de mariage, j'ai pensé à toi. »

Verba volant, scripta manent, disait le proverbe latin ; les paroles s'envolent, les écrits restent. En paraphrasant, on pourrait dire que les mots s'effacent, tandis que les gestes s'inscrivent plus profondément dans la mémoire. La mémoire corporelle retient mieux ses traces : il suffit d'avoir appris à nager un jour pour pouvoir nager encore des années après. Ce n'est guère le cas, le plus habituellement, de ce que l'on entend ni même de ce que l'on voit.

Enracinement cosmique.

Étant donné sa nature corporelle, la liturgie plonge ses racines dans le cosmos. Elle se situe nécessairement dans un espace et un temps, un temps rythmé par les cycles du soleil et de la lune : la date de Noël coïncide avec la nuit la plus longue de l'année, lorsque l'espérance elle-même en viendrait à défaillir ; la Résurrection du Christ se fête au printemps, lorsque toute la nature se met à resurgir. Du moins dans l'hémisphère Nord ! car il suffit d'être allé un jour dans l'hémisphère Sud pour prendre de ces faits une conscience plus vive ; au Chili, on fête Noël en été, et Pâques en automne ! Évidence de la nécessaire inculturation.

Dans chacune des célébrations d'ailleurs, on ne fait pas seulement appel à la réflexion intellectuelle, mais on utilise des éléments du cosmos. Quelle que soit la théologie du baptême que l'on développe, il ne se fait pas sans eau, ni la confirmation sans huile. À l'eucharistie, on apporte les « fruits de la terre et du travail des hommes » ; pour participer au mystère le plus sublime de la foi, il faut tendre la main, ouvrir la bouche, manger et boire. Un humoriste anglais a affirmé que le christianisme était le plus matérialiste des spiritualismes.

Une action corporelle.

La première loi de la liturgie, c'est le rassemblement ; on ne fait pas de liturgie tout seul. L'« assemblée » est le premier mot du vocabulaire liturgique : « Lorsque vous vous réunissez en assemblée », écrit saint Paul (1 Co 11, 18 ; littéralement : en église). Il faut d'abord y venir, en réponse à l'invitation du Ressuscité ; c'est d'ailleurs la parole que l'on s'adresse mutuellement, lors du premier office du jour : « Venez, crions de joie pour le Seigneur... » (Ps 94, 1). Être présent. Se tenir en présence de soi (ce qui n'est pas toujours le plus aisé), des autres, de Dieu. D'emblée on perçoit la différence avec les émissions de la télévision, qui montrent des réalités dont nous sommes absents, et qui donc passent, les unes après les autres, sans laisser beaucoup de traces ; les choses changent d'ailleurs considérablement quand la caméra filme un lieu où nous sommes allés ; alors la présence corporelle, même passée, instaure un rapport vif.

Les positions du corps.

La liturgie nous fait prendre position ; des positions. La posture principale, la plus noble, celle qui est le plus liturgique, si l'on peut dire, est la station debout. Position de l'homme en sa dignité : les pieds sur terre, mais la tête levée vers le ciel. C'est la posture normale de la prière commune, où tout l'être est tourné vers Dieu[1]. Pour les

1. « À toutes les messes, à moins qu'il n'en ait été décidé autrement, les fidèles se tiendront debout depuis le début du chant d'entrée, ou quand le prêtre se rend

lectures, on s'assied (sauf pour l'Évangile, par respect pour la Parole du Christ) ; attitude d'écoute, où l'être se fait plus intérieur pour que l'attention soit maximale. On était habitué également à se mettre à genoux ; à vrai dire, c'est une position que la liturgie ne privilégie pas ; elle la considère comme une attitude pénitentielle, et des conciles anciens l'ont interdite le dimanche, jour de la Résurrection[1]. L'attitude peut convenir davantage à la prière personnelle. En certaines grandes circonstances, la liturgie prévoit aussi la prosternation : aux ordinations, ou à l'ouverture du Vendredi saint. Attitude extrême, prise de terre maximale ; elle ne laisse indifférents ni ceux qui l'accomplissent ni ceux qui en sont témoins, l'histoire racontée ci-dessus en fait foi.

Il faut aussi envisager la position des mains, et des bras. Se donner la main est un signe de confiance ; on dit que le geste provient de l'époque où il attestait qu'on venait à l'autre sans arme dans la main. Mais la poignée de main est si commune que l'on peut souhaiter, au baiser de paix, un geste plus spécifique, plus caractéristique de la paix du Seigneur reçue pour être transmise. Lors de la communion, on est invité à tendre la main. Il suffit d'avoir eu un jour le bonheur de donner la communion à ses frères et sœurs pour percevoir, dans la manière dont la main est présentée, la qualité du rapport à Dieu. Que de fois j'ai eu envie de relever des mains paresseusement appuyées sur le ventre ! Même s'il devient très connu, citons ce beau texte de

---

à l'autel, jusqu'à la prière d'ouverture (collecte) inclusivement ; au chant de l'*Alleluia* avant l'Évangile ; pendant la proclamation de l'Évangile ; pendant la profession de foi et la prière universelle ; et depuis la prière sur les offrandes jusqu'à la fin de la messe excepté [...] si on le juge bon, pendant qu'on observe un silence sacré après la communion » (*Présentation générale du Missel romain,* [PGMR] n° 21). En pratique, l'assemblée adopte donc la même position que le prêtre, sauf lors de la préparation des dons où celui-ci se tient debout à l'autel.

1. Concile de Nicée, en 325, c. 20 : « Étant donné que certains fléchissent le genou le dimanche et pendant les jours de la Pentecôte, le saint concile a jugé bon, afin que tous les usages soient gardés de la même façon dans tous les diocèses, qu'on adresse les prières au Seigneur en restant debout » (G. ALBERIGO (éd. dir.), *Les Conciles œcuméniques*, Paris, Éd. du Cerf, 1994, t. II*, p. 57.

Cyrille de Jérusalem : « Quand donc tu t'approches [...] fais de ta main gauche un trône pour ta main droite puisque celle-ci doit recevoir le Roi, et, dans le creux de ta main, reçois le corps du Christ, disant : " Amen. " Avec soin alors sanctifie tes yeux par le contact du saint corps, puis prends-le et veille à n'en rien perdre... Ensuite, approche-toi aussi du calice de son sang. N'étends pas les mains, mais incliné, et dans un geste d'adoration et de respect, disant : " Amen ", sanctifie-toi en prenant aussi du sang du Christ[1]. »

Le prêtre lève aussi les bras et les mains lors des prières, oraisons et prière eucharistique. Il faut prendre soi-même cette posture pour percevoir sa puissance corporelle. Car lorsque les bras montent, la tête se lève aussi, et le regard, et les talons ; c'est tout l'être qui, au lieu de se recroqueviller ou de regarder les autres, s'élève à ce moment vers le lieu symbolique où habite Celui à qui l'on s'adresse. On aimerait que toute l'assemblée accomplisse ce geste ; le *Missel romain pour les diocèses du Zaïre* le prévoit[2], et l'effet est saisissant. Après vingt-quatre ans d'études spécialisées en liturgie, après avoir analysé les oraisons avec tous les instruments de travail disponibles, après les avoir lues et priées, j'ai enfin « compris » ce qu'était une prière liturgique quand dans une église de Kinshasa, j'ai vu une foule lever les bras au ciel, après un chant long et intense, faire silence, entrer en prière par tout son corps (personnel et communautaire), jusqu'à ce que le prêtre, sur une mélodie locale dépouillée comme du grégorien, chante la « collecte » chargée de rassembler les prières de chacun et de les adresser à Dieu. C'est tout bonnement prodigieux. Car la prière, en une pareille réalisation, n'est pas confondue avec un texte ; elle est proprement un *acte*, et un acte liturgique, celui d'une assemblée. Cela mérite le voyage !

1. CYRILLE DE JÉRUSALEM, *Catéchèses mystagogiques* V, 21-22, éd. Piédagnel, « Sources chrétiennes », 126 *bis*, p. 171-173.

2. « Le peuple s'unit à la prière dite par le prêtre, en tenant les mains levées et en la faisant sienne par l'acclamation Amen. Si la prière est chantée, le peuple chante la conclusion avec le prêtre » (Préambule, n° 10).

On dira : « Pourquoi cette gymnastique ? » Réaction de personnes agacées par ces continuels changements d'attitudes, et qui n'en perçoivent aucunement l'intérêt. Ils sont considérés comme une gêne, en effet, dans la mesure où l'on vient à l'église « pour prier », entendons : pour y faire sa prière personnelle. À ce moment bien sûr, toute animation, toute action commune, les lectures elles-mêmes viennent déranger l'objectif qu'on s'est fixé. Mais aussi louables soient ces personnes et aussi droite leur intention, il faut reconnaître qu'elles se trompent sur la nature de la chose ; si la prière liturgique n'évacue pas la prière personnelle, loin de là, elle n'est pas bâtie comme une prière individuelle, mais comme la démarche d'une assemblée. On développera cela dans le chapitre sur l'Église.

Dans cette perspective, les postures communes offrent une aide, au contraire ; elles favorisent l'action de l'assemblée, elles présentent comme un support de la prière commune. Voici ce qu'en dit la *Présentation générale du Missel romain* :

> Les attitudes communes que tous les participants doivent observer sont un signe de la communauté et de l'unité de l'assemblée ; en effet, elles expriment et développent l'esprit et la sensibilité des participants [1].

J'aime, à vrai dire, les communautés où l'on se lève à la doxologie des psaumes, dans la liturgie des heures ; le fait de se lever manifeste que dans les paroles de glorification du Père, du Fils et de l'Esprit réside finalement l'essentiel de la prière ; mais plus prosaïquement, il permet de se ressaisir, de quitter ses distractions pour reprendre le cap, ou même de sortir de son doux assoupissement. La liturgie a tout prévu !

1. N° 20. Le numéro 21 du même document indique le sens des différentes attitudes corporelles, telles que je les ai décrites ci-dessus.

Les gestes et les déplacements.

La liturgie comprend de nombreux gestes, accomplis par les ministres et les participants. On a déjà évoqué le baiser de paix, et la main tendue pour recevoir le corps du Christ. Il y a aussi le geste accompagnant le premier souhait du prêtre à l'assemblée : « Le Seigneur soit avec vous. » La rubrique stipule que le prêtre l'exprime « avec les mains étendues ». Sobriété toute romaine ! Ces mains étendues entraînent normalement les avant-bras, sinon les bras eux-mêmes et tout le corps, pour s'adresser à l'assemblée et souligner la grandeur du souhait qui lui est fait. C'est le même vœu que le prophète Nathan adressait déjà à David pour le confirmer dans son intention de bâtir un temple pour Dieu (2 S 7, 3). C'est celui surtout que l'ange Gabriel adressa à Marie, lorsqu'il entra chez elle et lui dit : « Je te salue, comblée de grâce, le Seigneur est avec toi » (Lc 1, 28).

Souhait peu banal, quand on prend le temps d'y songer ! Il exprime ce qu'on peut rêver de mieux, finalement, la présence du Ressuscité aux côtés des siens. On aimerait que le geste qui accompagne ce vœu soit à la hauteur de son contenu, qu'il soit fort et chaleureux, plein de justesse, sans mise en avant du ministre qui l'accomplit, mais rempli de la conviction qu'il exprime.

> Parmi les gestes, on compte aussi les actions par lesquelles le prêtre se rend à l'autel, les dons sont apportés, et les fidèles s'approchent pour la communion. Il convient que de telles actions soient accomplies avec beauté [PGMR, n° 22].

En quoi consiste cette beauté ? Dans la manière dont ces gestes sont exécutés. Car ces déplacements sont de grande importance. Ils expriment symboliquement que la rencontre de Dieu ne peut nous laisser en place. L'apport des dons par les fidèles est particulièrement expressif. Il ne s'agit ni d'un transport de biens ni du déménagement des objets nécessaires pour les besoins de la célébration. Les personnes qui ont recueilli les dons des fidèles et qui les apportent à l'autel avec le pain, le vin et tout ce qui peut être nécessaire pour l'eucharistie sont les représentants de toute l'assemblée qui s'engage dans l'offrande de sa propre vie, à la suite de son Seigneur. Il y a une manière de réaliser cette procession qui fait saisir physiquement sa signification : transformer l'assemblée en « une vivante offrande à la louange de ta gloire » (prière eucharistique IV). Il convient évidemment que les ministres correspondent à cette démarche de l'assemblée :

> C'est un usage à recommander que de faire présenter le pain et le vin par les fidèles ; le prêtre ou le diacre reçoit ces offrandes à l'endroit le plus favorable et elles sont déposées sur l'autel, avec l'accompagnement des formules fixées. Bien que les fidèles n'apportent plus, comme autrefois, du pain et du vin de chez eux, ce rite de l'apport des dons garde sa valeur et sa signification spirituelle.
>
> On peut aussi recevoir de l'argent, ou d'autres dons au profit des pauvres ou de l'Église, apportés par les fidèles ou recueillis dans l'église ; on les dépose donc à un endroit approprié, hors de la table eucharistique [PGMR, n° 49].

Des chrétiens m'ont déjà confié leur étonnement devant l'attitude de certains prêtres durant la procession d'entrée, où tout leur être exprime les paroles du psaume : « J'avancerai jusqu'à l'autel de Dieu, vers Dieu qui est toute ma joie » (Ps 42, 4). La pérégrination vers l'autel réalise comme un pèlerinage, démarche essentielle aux chrétiens qui sont « ici-bas des gens de passage et des voyageurs » (1 P 2, 11). Il n'y faut ni pompe ni solennité déplacée. Ni non plus de désinvolture ou d'insensibilité à l'action posée. Il suffit d'être présent, de corps et d'esprit, au déplacement qu'on est en train de réaliser, à l'invitation du Seigneur.

Que dire de la procession de communion ? Ne ressemble-t-elle pas trop souvent encore à une queue devant les caisses d'un supermarché ? Le déplacement, ici, et l'avancée en commun vers le lieu de la communion, devraient être animés du désir de Dieu qui s'exprimera pleinement dans la main tendue pour recevoir le corps du Christ.

On souhaiterait aussi que les gestes soient accomplis à bon escient, c'est-à-dire qu'ils s'inscrivent dans la trame même de l'acte liturgique. Ainsi lorsqu'on se donne la main au *Notre Père* ; ce n'est pas un geste liturgique, au sens où il n'est pas prescrit, ce qui n'est pas nécessairement une raison de ne pas le faire. Souvent cependant, après que l'on s'est rapproché pour le *Notre Père*, on se quitte pour reprendre sa place précédente, comme si effectivement l'action était terminée ! Alors que le *Notre Père* commence les rites de communion, et qu'après lui on va recevoir la paix et se l'échanger, puis être invité à communier ! Le mouvement de séparation, après la jonction des mains durant le *Notre Père*, fait injure (au sens ancien : c'est contre son bon droit, c'est une injustice) à la liturgie ; il va à contresens de ce que l'assemblée est invitée à faire à ce moment. C'est un des exemples les plus courants de ce parallélisme que j'ai dénoncé plus haut : d'un côté la liturgie, dont on ne comprend guère la dynamique, de l'autre des initiatives qui apparaissent alors comme du bricolage.

UNE LITURGIE DES SENS

Même si les élévations mystiques ne s'y attardent généralement pas, nos cinq sens sont mis à contribution, dans la liturgie. Mieux : les actions liturgiques font appel à eux, et ce n'est que par un faux spiritualisme qu'on le dénie trop souvent. Les sacrements, notamment, ont été beaucoup trop intellectualisés et spiritualisés, au point que beaucoup de gens les comprennent en se rappelant leur catéchisme plutôt qu'en ouvrant les yeux et les oreilles pour voir ce que l'on fait, pour écouter ce que l'on dit. C'est typique lorsque l'on propose le baptême par immersion, tellement plus expressif de la plongée (sens étymologique du mot « baptême ») dans la mort et la Résurrection du Seigneur ; la réaction vient souvent : « Pourquoi ce cinéma ? » À quoi bon, puisqu'il suffit de comprendre, d'avoir une conscience claire et distincte ? Non ; la liturgie est une action à accomplir plus qu'un problème à comprendre. La liturgie n'est pas cartésienne.

La vue.

Le sens auquel la liturgie fait le plus appel est sans conteste la vue. On la confond d'ailleurs fréquemment avec un spectacle, réalisé par des acteurs pour un public, ce qui est la négation même de l'assemblée. Cependant la liturgie est traversée par la dialectique johannique du voir et du croire ; si Jésus invite ses disciples en leur disant : « Venez et voyez » (Jn 1, 39) ; s'il guérit l'aveugle de naissance (Jn 9) ; s'il dit à Thomas : « Parce que tu m'as vu, tu as cru », il poursuit cependant à notre adresse : « Bienheureux ceux qui, sans avoir vu, ont cru » (Jn 20, 29). Au début de ce chapitre, Ambroise, parlant des yeux du cœur, nous a fait savoir que la même dynamique est à l'œuvre dans la liturgie. Ce qu'on y donne à voir doit mener à croire.

La vue a d'ailleurs été survalorisée, dans les actions liturgiques, quand la langue utilisée n'a plus été comprise par l'assemblée. On a développé à ce moment ce que les historiens appellent un processus de dramatisation, compensant par la vue ce qui n'entrait plus par l'ouïe. L'exemple le plus cocasse était celui de l'ordination des prêtres, jusqu'en 1968. Après la prière consécratoire, pour montrer qu'ils étaient devenus prêtres, ils recevaient la chasuble, mais sa partie postérieure demeurait enroulée à hauteur des épaules. Ce n'est qu'après la communion, quand ils recevaient le pouvoir de confesser, que la chasuble était dépliée. Sans rien entendre aux paroles prononcées, tout le monde pouvait comprendre qu'à ce moment ils étaient devenus « tout à fait » prêtres !

Reste que la vue joue un rôle essentiel dans la liturgie. Particulièrement dans le catholicisme ; on a pu dire en effet que la liturgie catholique donnait principalement à voir, et la liturgie protestante à écouter[1].

Il est superflu de dresser la liste de tous les éléments visuels qui interviennent dans la liturgie. Il est plus intéressant de se rendre compte que, dans le monde des signes, rien n'est insignifiant. Que de fois, lors d'une observation émise à ce propos, ne s'entend-on pas répliquer avec agacement : « Quelle importance ? » L'objection signifie sans doute qu'il ne faudrait pas accorder d'importance au signifiant, mais au signifié. Malheureusement pour ceux qui émettent pareille réponse, les idées nous viennent à partir de nos perceptions. Quand on voit un baptistère transformé en dépotoir, on ne peut comprendre qu'une chose : le baptême ne doit pas avoir beaucoup d'importance « aux yeux » de ceux qui utilisent cette église. Lorsque les mêmes se plaignent que « les gens » ne comprennent plus le baptême, j'ai souvent envie de me fâcher.

Les discours se font habituellement d'autant plus véhéments que la négligence est grande à l'égard de ce qui est donné à voir. On entend expliquer longuement que le baptême est une entrée dans l'Église, mais on le célèbre dans une église vide, pire : après la messe, lorsque effectivement l'Église s'en est allée. On veut faire comprendre que la messe est communautaire, mais de la nef on ne voit qu'un seul personnage, jouant son *one-man show*. On insistera sur l'importance de la Parole de Dieu, mais on la lira dans une piteuse brochure préalablement tirée de sa poche, à l'endroit où sont aussi dirigés les chants et faites

1. Les humoristes ajoutent qu'effectivement ce qu'on entend chez les catholiques ne vaut guère la peine, et moins encore ce qu'on voit chez les protestants !

les annonces, c'est-à-dire en un lieu qui banalise le contenu de ce qu'on y proclame. J'aimerais ne pas exagérer en décrivant ces déviances. Encore une constatation cependant : la définition de trois lieux différents dans le sanctuaire (autel, présidence, ambon) est encore loin d'être intégrée dans les esprits ; très souvent le lieu de la présidence est inexistant, tout simplement parce qu'il y manque un micro, et le prêtre utilise pour s'adresser à l'assemblée soit le lieu de la Parole, avec la banalisation signalée ci-dessus, soit l'autel, transformé par le fait même en tribune [1]. Et l'on s'étonne que l'on ne comprenne pas bien ce que l'on fait à la messe.

L'ouïe.

Dans les célébrations, il y a beaucoup de choses à entendre, mieux : à écouter. Sans doute l'ouïe est-elle le sens le plus caractéristique de la liturgie ; il nécessite un effort plus grand que la vue, comme le remarquait déjà Cyrille de Jérusalem, lorsqu'il s'adressait aux nouveaux baptisés, au lendemain de leur baptême : « Je désirais depuis longtemps [...] vous entretenir de ces spirituels et célestes mystères. Mais parce que je savais fort bien qu'on se fie beaucoup mieux à la vue qu'à l'ouïe, j'attendais le moment présent, afin de vous trouver, après cette grande soirée, plus à même de saisir ce qu'on vous dit [2]... »

L'évêque justifiait ainsi la pédagogie expérimentale ; sa catéchèse du baptême ne pouvait que suivre la célébration baptismale.

Il y aurait de longs développements à faire sur les divers *actes de langage* que comprend la liturgie, car une monition

1. Ces prescriptions sont fournies par la *Présentation générale du Missel romain*, chap. V, n° 258 s. ; j'extrais la dernière phrase du numéro 272 : « Il ne convient guère que le commentateur, le chantre ou le chef de chœur montent à l'ambon. »
2. CYRILLE DE JÉRUSALEM, *Catéchèses mystagogiques* 1,1, p. 84-85.

n'est ni une lecture ni un chant ni une prière. Ces divers genres littéraires ne sont pas suffisamment pris en compte dans leur particularité ; on les amalgame sous le terme générique de « textes ». Mais chacun nécessite une approche particulière ; et même parmi les lectures, on ne lit pas le récit du passage de la mer Rouge comme un extrait du Cantique des cantiques ou comme un raisonnement de saint Paul. On se comporte encore en ce domaine comme des sous-développés ; trop peu de travaux y ont été consacrés [1].

Proclamation de la Parole.

On se limitera ici à quelques remarques à propos des lectures. À vrai dire, je préfère l'expression « proclamation de la Parole » au terme de « lecture », car ce dernier peut donner à croire qu'il suffit de pouvoir lire les lettres de l'alphabet pour être capable d'exercer le ministère de lecteur. Or il ne s'agit pas de lire un texte, mais bien de transmettre la Parole de Dieu ; c'est beaucoup plus difficile qu'on ne croit. Faut-il s'investir personnellement dans la lecture, au risque de se mettre soi-même en avant ? Quelle dose de réserve est-elle en outre supportable ? Car il faut que le message passe ! Après quelques années de pratique, on commence à se rendre compte que tous les chrétiens ne sont pas pareillement doués pour la chose ; vouloir être gentil en demandant de faire la lecture à la première personne venue se révèle une impasse, car si l'on fait plaisir à l'un, on pénalise souvent toute l'assemblée qui n'entend rien de la Parole de vie. Proclamer la Parole de Dieu est un véritable ministère dans l'Église. Il faut donc s'exercer ; chacun doit trouver sa manière. Il ne s'agit pas de devenir des professionnels, mais il faut acquérir une suffisante justesse.

1. On peut signaler la récente thèse de Monique BRULIN, « La Voix dans le culte chrétien au XVIIe siècle en France : un champ théologique », Paris, Institut catholique de Paris, 1992 (dactylographiée) [à paraître].

Il est devenu évident que l'improvisation, en ce domaine, produit des résultats catastrophiques. Car ce qui passe, ce ne sont pas avant tout les mots et les phrases, c'est la vibration, la résonance du texte dans le cœur et la voix du lecteur. La preuve, c'est qu'autrefois, quand les textes étaient en latin, les gens « comprenaient » quelque chose, et peut-être même l'essentiel, à savoir la foi avec laquelle l'action était accomplie. Dans la proclamation de la Parole, comme dans la prière vocale d'ailleurs, les silences ont autant d'importance que les paroles ; les lectionnaires adoptent à cet effet une typographie tout à fait spécifique, destinée à la lecture. Ce qui rejoint une définition de la poésie, caractérisée comme un texte qui ne remplit pas toute la page ni toute la ligne, le lecteur-auditeur étant invité à remplir lui-même les blancs.

La liturgie offre, pour sa part, quelques appuis. D'abord un lieu, normalement réservé à cette proclamation, tant elle a d'importance sacramentelle. Ce lieu fait face à l'assemblée, signe que la Parole lui advient. Sauf exception, il est symboliquement contradictoire que la lecture soit faite du lieu même de l'assemblée, car la Parole est celle d'un Autre, elle ne provient pas de nous. Outre un lieu spécifique, la liturgie prévoit aussi un livre pour les lectures, appelé lectionnaire. Cet objet a un rôle structurel à jouer. Lui aussi, avant même qu'il ne soit ouvert, il parle, pour dire que les mots qui vont être prononcés ne proviennent pas de l'imagination du ministre. Le livre assure donc une médiation essentielle dans l'acte liturgique ; non seulement il prévient les auditeurs que cette parole vient d'ailleurs, et le titre de la lecture les renseignera aussitôt sur ce point, en précisant qu'il s'agit, par exemple, de la « lecture du prophète Isaïe ». Mais le livre met encore en garde le lecteur lui-même, lui évitant de penser que c'est sa propre parole qu'il proclame ; le livre, situé entre l'assemblée et lui, l'aide à trouver sa juste position, et le ton de voix correspondant, le protégeant contre l'envahissement de sa propre subjectivité. On comprend dès lors l'importance que la liturgie accorde à ce livre ; il joue, à proprement parler, un rôle révélateur dans l'assemblée. À la différence du missel, par exemple, qui ne contient que des textes d'origine ecclésiastique et peut à la limite être considéré comme un aide-mémoire, le livre des lectures est le seul à être porté solennellement lors des processions, voire encensé [1].

La vision de l'ambon et du lectionnaire facilitent donc l'écoute de la Parole ; la vue et l'ouïe se joignent pour atteindre l'objectif. Mais des données fondamentales de la foi chrétienne tendent à favoriser, dans l'action liturgique, l'ouïe plutôt que la vision, car « La foi naît de la prédication » (Rm 10, 17). Avec toute la souplesse qui s'impose, en fonction de la nature des assemblées, il convient de privilégier l'écoute sur la lecture, et de renoncer à la facilité que peuvent représenter les missels et autres feuillets proposant le texte des lectures du jour. Car il n'est pas indifférent, ni pour l'assemblée dans son ensemble ni pour chacun des participants, d'être invité à faire silence, à tendre l'oreille, à écouter une parole qui lui est adressée de la part de Dieu lui-même, ou de voir d'autre part tout le monde plonger les yeux sur sa feuille. On souhaiterait renoncer, en principe, à la facilité de ces subterfuges, quitte à offrir d'autres moyens aux personnes qui entendent mal. Cela suppose, bien sûr, que les lectures soient audibles ; mais l'attente de l'assemblée ne sera-t-elle pas le meilleur stimulant pour ceux et celles qui assurent le ministère de la Parole ?

Le toucher.

La liturgie en fait un usage sobre. Au baptême, le geste d'eau touche à peine le corps du baptisé, à moins qu'on ne

1. Je reprends ces lignes à mon article intitulé « Au commencement était le Verbe », *La Maison-Dieu*, 189, 1992-1, p. 19-40 (ici p. 23-24).

fasse l'immersion d'un bébé. Mais il y a surtout les onctions ; au cours du catéchuménat des adultes se fait l'onction prébaptismale sur la poitrine ou sur les mains, éventuellement sur d'autres membres du corps ; l'onction se fait également à la confirmation, aux ordinations, et pour les malades. Le geste existe donc, même si, la pudeur aidant, il n'est pas très commun. C'est un geste ministériel, et non d'abord un signe de cordialité ; on reconnaît au ministre du sacrement le droit de toucher le corps d'autrui, comme on le reconnaît aux professionnels de la santé, médecins, infirmières ou kinésithérapeutes. L'onction, accomplie avec doigté, est toute pleine d'humanité ; elle s'apparente à la caresse ; par elle c'est la tendresse de Dieu qui se manifeste à ceux et celles qui sont oints.

Au toucher appartient encore le geste de paix, qu'il se fasse par l'accolade et le baiser ou par les mains. On peut y joindre aussi le cierge que l'on reçoit au baptême ou à la vigile pascale ; quoi de plus agréable que de sentir la chaleur de sa flamme et la douceur de la cire chaude [1] ?

Le goût.

La liturgie en fait très peu usage. Autrefois, à Pâques, on communiait aussi à une coupe de lait et de miel, nourriture de la Terre promise [2]. Aujourd'hui on ne goûte plus que le pain de la vie et la coupe du salut ; même si l'on chante à ce moment : « Goûtez et voyez comme est bon le Seigneur » (Ps 33, 9), il faut reconnaître que la liturgie ne fait guère appel au goût. Raison de plus pour mettre fin à l'usage des petites hosties blanches, si fines qu'elles n'évoquent aucunement le pain et n'ont aucun goût.

1. Ce qui demande de tenir le cierge par le haut. En faisant ainsi, on obéit de surcroît au principe de physique liturgique selon lequel le centre de gravité du cierge se trouve alors sous la main, ce qui le fait tenir droit et évite que la cire ne se répande à terre.

2. *Tradition apostolique,* n° 21, éd. Botte, « Sources chrétiennes », 11 *bis,* p. 93-95.

L'odorat.

La pratique liturgique est sous-développée par rapport à l'odorat ; elle pourrait stimuler davantage les narines, mais on n'y songe pas. On connaît l'encens, guère plus. La liturgie byzantine, pour sa part, semble avoir le nez plus fin ; le Vendredi saint elle embaume le tombeau du Christ avec un parfum de rose, qui se répand dans toute l'église. C'est exquis.

On pourrait être ici plus inventif. Notamment avec le saint chrême, l'huile parfumée dont on ne sent nullement la bonne odeur, habituellement. N'est-il pas temps de renoncer aux petites fioles, souvent poisseuses, où on le conserve à l'aide d'ouate ? Comment croire, à partir de cette vue et de ce manque de parfum, que « nous sommes pour Dieu la bonne odeur du Christ [...] odeur de vie qui conduit à la vie » (2 Co 2, 15-16) ?

Mens concordet voci, rappelait-on au début de ce chapitre à la suite de saint Benoît qui demandait à ses moines de chanter les psaumes et de laisser leur être s'en imprégner. On a montré, à partir de là, la priorité de l'acte, en liturgie. Comme son nom l'indique, celle-ci est une action, une *-urgie* (comme la chirurgie ou la sidérurgie). L'intelligence de la liturgie n'est pas d'abord intellectuelle ; elle est, beaucoup plus globalement, corporelle. La liturgie, c'est physique.

La démonstration a-t-elle été convaincante ? Si oui, il faudrait en tirer davantage les leçons, pour la liturgie elle-même, comme pour la catéchèse, en abandonnant une approche trop souvent encore rationaliste. La scolastique a cherché le sens des choses dans leur essence, la liturgie le fait saisir par les sens ! En fait, il s'agit de bien situer l'une par rapport à l'autre liturgie et théologie, ce que l'on s'efforcera de faire dans le chapitre suivant. La théologie est une discipline intellectuelle ; elle provoque donc nécessairement une exclusion des moins doués. La liturgie, pour sa part, est foncièrement populaire : non pas au sens où elle ne serait pas hautement cultivée, on le verra dans le chapitre qui traite de la culture ; mais elle s'adresse à un peuple, avec les ressources qui sont le plus communément partagées, celles de la sensibilité corporelle. La différence de quotient intellectuel ne devrait pas exclure certaines personnes des assemblées liturgiques. À Dieu plaise...

CHAPITRE III

L'ACTE LITURGIQUE ET SA DIMENSION THÉOLOGIQUE

Ce chapitre est consacré à la dimension théologique de la liturgie, plus précisément aux rapports qui s'établissent entre théologie et liturgie, cas particulier des relations entre théorie et pratique. Le rapport mutuel entre Bible et liturgie peut être considéré comme le lieu originaire des relations entre la liturgie et la théologie. Nous sommes habitués à considérer que la liturgie se rapporte à la Bible pour la lire, la citer, s'en inspirer ; mais il faut aussi prendre en compte que celle-ci trouve son origine, partiellement du moins, dans la liturgie [1]. De nombreux passages bibliques proviennent en effet des rassemblements liturgiques. Songeons par exemple aux psaumes de l'Ancien Testament ou aux hymnes du Nouveau, créés pour la louange de Dieu par son peuple assemblé.

À partir des relations entre Bible et liturgie, on saisit d'emblée que le rapport entre théologie et liturgie est d'ordre dialectique ; la théologie n'a pas seulement à dicter à la liturgie le contenu de la foi qu'elle doit exprimer ; inversement la liturgie véhicule également une intelligence de la foi, et la théologie peut avoir intérêt à l'entendre.

La tradition liturgique connaît à ce propos un adage fameux, qui s'énonce en latin dans les mots *Lex orandi, lex*

1. On trouve l'état actuel de cette question dans l'article de K. P. JÖRNS, « Liturgie, berceau de l'Écriture ? », *La Maison-Dieu*, 189, 1992-1, p. 55-78.

credendi, ce qui se traduit, littéralement : la loi de la prière est la loi de la croyance. L'essentiel de l'adage réside dans le mouvement de la pensée qu'il énonce, mouvement qui va de la prière au contenu de la foi. Il met donc en relief un des sens du rapport énoncé ci-dessus, à vrai dire le plus original ; il attire vivement l'attention sur l'intérêt théologique de la liturgie, objet propre de ce chapitre qui sera en grande partie consacré à des exemples montrant qu'il en va effectivement ainsi.

L'ORIGINE DE L'ADAGE « LEX ORANDI, LEX CREDENDI »

L'adage a été formulé par Prosper d'Aquitaine, secrétaire du pape saint Léon, au milieu du ve siècle. Prosper se proposait de réfuter les erreurs des pélagiens et semi-pélagiens, ces chrétiens disciples de Pélage qui avaient tendance à dénier l'importance de la grâce de Dieu en considérant que leurs seuls efforts pouvaient les amener à la foi et à la vie chrétienne. Pour réfuter leur erreur, Prosper cite une série de textes des papes et des conciles, auxquels ses interlocuteurs accordaient une grande autorité. Puis il en vient à un argument qu'on peut appeler liturgique :

> Considérons, écrit-il, les rites des invocations sacerdotales qui, transmis par les Apôtres, sont célébrés de la même manière dans le monde entier et dans toute l'Église catholique, de telle sorte que l'ordre de supplier détermine la règle de la foi *(ut legem credendi lex statuat supplicandi)* [1].

Voilà la phrase originelle, plus développée que l'adage qu'on en a tiré. Prosper affirme que si les pélagiens se

1. PROSPER D'AQUITAINE, *8e chapitre sur la grâce* ; PL 51, 209-210, ou *Foi catholique* n° 537. Pour une présentation plus fouillée, lire mon article « *Lex orandi, lex credendi*. Sens originel et avatars historiques d'un adage équivoque », *Questions liturgiques*, 59, 1978-4, p. 193-212.

donnaient la peine de considérer les prières de l'Église, ils prendraient conscience de leurs erreurs, car la loi de la prière offre un critère théologique. De quelle loi s'agit-il ? À lire attentivement le raisonnement de l'auteur, on se rend compte que son argument est plus élaboré qu'il n'y paraît. Car la loi en question n'est autre que l'ordre donné par saint Paul aux chrétiens :

> Je recommande donc, avant tout, que l'on fasse des demandes, des prières, des supplications, des actions de grâce, pour tous les hommes, pour les rois et tous ceux qui détiennent l'autorité, afin que nous menions une vie calme et paisible en toute piété et dignité [1 Tm 2, 1-2].

C'est donc une loi scripturaire. Mais la *lex supplicandi* comprend également, sous la plume de Prosper, un deuxième niveau ; la loi de la prière se découvre aussi dans la réponse de l'Église à cet ordre paulinien : dans le monde entier, dit-il en donnant sans doute un petit coup de pouce à la réalité, l'Église fait monter vers Dieu ces invocations. Il faut même prendre en compte un troisième niveau de cette *lex*, à savoir le contenu des prières de l'Église, qui demande, par exemple, « qu'aux infidèles soit donnée la foi ». Bref, l'auteur de l'adage ne veut pas dire que n'importe quelle parole entendue dans la liturgie serait porteuse d'un contenu théologique particulièrement dense ; mais il relève que dans la mesure où elle est fondée sur l'Écriture et où elle est universellement célébrée, la liturgie véhicule effectivement un donné de foi.

Si la phrase dont provient l'adage est due à Prosper d'Aquitaine, Augustin, une fois de plus, s'était déjà exprimé en des termes presque semblables, au point que c'est lui qui doit être considéré comme l'inventeur de l'argument liturgique. Dans le même contexte théologique, il avait écrit au semi-pélagien Vital : « C'est la prière elle-même qui est la preuve la plus éclatante de la grâce[1]. »

1. « *Ipsa igitur oratio clarissima est gratiae testificatio* », phrase au rythme typiquement augustinien, que l'on trouve dans sa lettre 177, 4 ; PL 33, 766 ; CSEL 44,673.

Déjà Cyprien avait parlé du *Notre Père* en le qualifiant de *lex orationis* : deux siècles avant Prosper, l'évêque de Carthage affirmait que l'oraison dominicale, prière liturgique, était la norme de la prière chrétienne [1].

DIMENSION THÉOLOGIQUE DE LA LITURGIE

L'adage, précisons-le, ne vaut pas que pour les textes ; sa portée s'étend aux actes liturgiques et aux structures des célébrations.

Prenons quelques exemples, pour concrétiser. Un des plus révélateurs est celui du baptême des petits enfants, qui a existé bien avant qu'on en fasse la théorie. On sait en effet que saint Augustin s'est appuyé sur cette pratique de l'Église pour réfuter les erreurs des pélagiens et mettre en relief l'existence du péché originel. Car si l'on reçoit « un seul baptême pour la rémission des péchés » et que les petits enfants, par définition, ne peuvent commettre de péché personnel, la rémission baptismale, en leur cas, ne peut valoir que pour le péché originel. La pratique liturgique a été source de développement doctrinal.

Ou encore, toujours à propos du baptême des petits enfants : ce n'est qu'en 1969 que l'Église latine a proposé, pour la première fois dans l'histoire, un rituel adapté aux petits enfants, alors que statistiquement, depuis le ve siècle, elle a baptisé beaucoup plus d'enfants que d'adultes. Le nouveau rituel n'adresse plus les questions aux bébés (dont les réponses, jusqu'à cette date, étaient données par le parrain et la marraine), mais bien aux parents qui demandent le baptême pour leur enfant. Progrès, oui. Mais si l'Église a gardé si longtemps le même rituel pour les petits enfants et pour les adultes, c'est parce que, dans sa manière

1. CYPRIEN, *L'Oraison dominicale*, éd. M. Réveillaud, Paris, 1964, p. 86 et 108 ; en latin : CSEL III,1, 271 et 282.

de comprendre les choses, le baptême type est celui qui est demandé en pleine conscience par un adulte. Le fait est lourd de sens, et permet d'ailleurs de bien comprendre la particularité du baptême des petits enfants, en le référant au baptême des adultes. Pour le Nouveau Testament, en effet, le baptême n'est en rien lié à la venue au monde, mais à la venue à la foi.

Autre exemple, à propos des fêtes. Le pape Pie XII a proclamé en 1950 le dogme de l'Assomption de Marie. Mais la fête liturgique du 15 août remonte au moins au VIIe siècle ! Remarquons d'ailleurs qu'une fois la *lex orandi* (la célébration de la fête) reçue par la *lex credendi* (la définition dogmatique), celle-ci reflua sur la première puisqu'on révisa les textes de la fête !

Autre exemple encore, les enterrements. On sait le poids qu'ils représentent pour les prêtres de certaines paroisses, où les funérailles sont très nombreuses. Ces prêtres se posent beaucoup de questions à propos du rapport entre la demande des funérailles à l'église et la foi du défunt et de sa famille. Mais la pratique de l'Église est riche de sens ; elle ne laisse pas partir ses membres sans une forme ou l'autre de prière. Même si les funérailles ne se rangent pas parmi les sept sacrements, leur observance est statistiquement beaucoup mieux assurée que celle des mariages ou même des baptêmes. Ici aussi, la pratique de l'Église comprend une théologie. La preuve en est que, lorsque quelqu'un est enterré sans funérailles, on entend dire : « Il est mort comme un chien. » La prière de l'Église, lors de la mort, manifeste donc bien la foi qu'elle a dans l'homme, dans sa dignité et sa transcendance d'une part, dans l'espérance du Royaume d'autre part. Passerait-elle son temps à enterrer les morts, elle qui entend Jésus dire : « Laissez les morts enterrer les morts » (Mt 8, 22), si elle ne croyait pas que « Dieu créa l'homme à son image, à l'image de Dieu il le créa, il les créa homme et femme » (Gn 1, 27) ? Ferait-elle sur le corps l'aspersion d'eau baptismale, et l'entourerait-elle de l'encens si elle n'avait la conviction de son éminente dignité ?

Laissons là ces exemples, avant d'en examiner d'autres encore. Ils suffisent à nous indiquer que la liturgie ne se réduit ni à des rubriques à appliquer ni à des consignes à observer « pour être en règle ». Tout acte liturgique est porteur de signification théologique : la place des lectures, au début de la messe, indique que la prière commence par l'écoute de l'Autre, qui vient à nous ; le rassemblement des chrétiens, le dimanche, leur apprend qu'ils sont des ressuscités ; l'imposition des mains, aux ordinations, montre qu'elle est un don de l'Esprit. C'est là le nœud de l'affaire, qui rend la liturgie si importante dans la vie chrétienne. Et c'est (parfois) la désolation des liturgistes de constater à quel point la liturgie peut être bâclée, exécutée comme pour en être quitte, sans aucun soupçon apparent des valeurs ainsi bafouées. C'est parfois risible, comme ces prêtres d'antan qui « expédiaient » leur messe pour avoir le temps de « faire leur action de grâce », c'est-à-dire leur prière personnelle après la messe, sans s'être aperçus que l'eucharistie elle-même consiste essentiellement en une action de grâce ! Cela peut faire sourire ; mais on voit à quel point une pratique de ce genre atteint la conception même de la messe.

Il faut insister sur les implications théologiques des actions liturgiques. La manière de prier exprime la manière de croire ; il est donc capital que les pratiques liturgiques soient les plus correctes possibles. Aujourd'hui encore on ne demande guère aux liturgistes de développer le sens théologique des rites et des prières. En revanche, on leur pose souvent la question, après une célébration : « Était-ce bien liturgique ? » Le liturgiste se sent alors considéré comme une sorte de gendarme de la ritualité, chargé de veiller à l'exécution scrupuleuse des prescriptions ; il se sent mal pris, car il y a méprise sur sa discipline. L'Église en sa totalité est encore loin d'avoir retrouvé vitalement la signification théologique de la liturgie, si profondément incrustée cependant dans la constitution conciliaire et les nouveaux rituels qui l'ont suivie. Tout comme l'expression bénédictine du chapitre précédent, l'adage *lex orandi, lex credendi* met en relief une dimension de toute célébration liturgique. Il manifeste que la liturgie ne s'épuise pas en sa performance matérielle. Elle n'est pas un pur « office » que l'Église aurait à accomplir pour rendre un culte à Dieu, mais elle est intelligente, elle est riche de signification, elle est porteuse du mystère du salut [1].

La suite de ce chapitre passera en revue d'autres exemples encore qui illustrent la portée de l'adage. Je choisis ceux qui me paraissent les plus significatifs ou les plus intéressants pour la situation actuelle de l'Église, avec l'espoir de faire saisir la dimension théologique de la liturgie.

L'ÉGLISE, EN SA DIVERSITÉ

Un exemple très éloquent, me semble-t-il, de la valeur de l'adage ne porte ni sur les textes ni sur les rites, mais sur l'existence de familles liturgiques diverses. On sait que, dans l'Antiquité, la liturgie s'est développée à partir des grands centres chrétiens, les sièges patriarcaux. De là sont nées des familles liturgiques, originaires d'Alexandrie (le rite copte, et l'éthiopien) et d'Antioche, ville mère du rite syrien ; celui-ci comprend une branche occidentale représentée notamment par la liturgie byzantine, et un rameau oriental, de langue syriaque, qui s'étend jusqu'en Inde. Ces liturgies locales ont chacune leur identité et leur autonomie, bien qu'elles réagissent aussi les unes sur les autres ; Jérusalem a exercé une influence déterminante, notamment par les nombreux pèlerins qui s'y rendent dès le IVe siècle.

J'ai commencé par décrire à gros traits les familles orientales, étant donné qu'elles existent encore et qu'elles

1. L'adage se trouve illustré par le point de vue adopté en de nombreuses « Semaines d'études liturgiques » de l'Institut Saint-Serge à Paris, par exemple celle de 1969, *Le Saint-Esprit dans la liturgie* (Rome, 1977), ou celle de 1990, *Liturgie, éthique et peuple de Dieu* (Rome, 1991).

peuvent donc nous être plus familières. Mais dans l'Antiquité, l'Occident connaissait la même diversité ; la liturgie de Rome était voisine de celle de Milan, mais plus proche de celle d'Afrique du Nord ; l'Espagne, très en contact avec l'Orient, l'était aussi avec la Gaule ; la liturgie celtique, pour sa part, était la plus particulière. Ces liturgies locales furent éliminées au profit de celle de la ville de Rome en deux vagues successives, celle des Carolingiens d'abord qui ont voulu consolider leur fragile empire à l'aide d'un même rite liturgique, puis celle de la réforme grégorienne au XIe siècle. Depuis lors, il n'en reste que des traces : à Milan, à Tolède, et à Lyon jusqu'au siècle dernier.

Folklore ? Peut-être pour des esprits occidentaux habitués à trouver partout la liturgie romaine qui, notons-le, a été créée pour la ville de Rome avant de se répandre en Occident puis, lors des grandes découvertes du XVIe siècle, dans les autres continents. Bien plus profondément, l'existence de liturgies différentes manifeste la diversité des Églises locales dans l'unité de la foi. Si la foi est une, ses expressions sont multiples ; les liturgies en témoignent. Et cela parce que les peuples au sein desquels elles se sont constituées sont divers, et leurs cultures multiformes. Le cas est particulièrement net pour les Syriens orientaux, qui se sont développés à l'extérieur des frontières de l'Empire romain, en dehors de la culture gréco-romaine, dans une langue sémitique, le syriaque, qui n'est autre que l'araméen, la propre langue de Jésus ! On comprend que leur tradition soit différente de la byzantine, autant que de la romaine. Elle fait cependant partie, tout autant, du patrimoine de l'Église.

En un temps où la liturgie renoue avec la langue véhiculaire, où elle s'enracine donc à nouveau dans des cultures vivantes et cherche à s'inculturer, son histoire offre un modèle ecclésiologique fondamental, traditionnel, et extrêmement fécond. Toutes les questions d'adaptation liturgique — pensons notamment à l'Afrique, à l'Asie, à l'Amérique latine — trouvent ici un cadre de pensée, et des critères essentiels[1]. Aux yeux de l'histoire de la liturgie, l'inculturation n'est pas un problème nouveau ; l'Église n'a jamais fait que cela, depuis ses origines. Ce qui est nouveau, ce n'est pas le processus, mais la variété des cultures dans lesquelles le christianisme doit aujourd'hui prendre racine. Observons que la diversité ecclésiologique n'est pas une idée, promue par des intellectuels progressistes ; elle est inscrite dans la variété des liturgies, qui sont les expressions les plus spécifiques de l'Église. Si l'Église écoutait sa propre tradition, elle trouverait un modèle susceptible de résoudre pas mal de problèmes.

LE BAPTÊME

Après l'exemple de la diversité des traditions ecclésiales, prenons celui du baptême. De sa date d'abord, de la profession de foi qui en fait le cœur, ensuite.

Le baptême à Pâques.

Considérons simplement le moment où le baptême est célébré. Le jour privilégié de l'eucharistie, tout le monde le sait, c'est le dimanche ; on en verra l'importance ci-dessous. Le baptême connaissait lui aussi un moment spécifique, avant que ne se généralise le baptême des petits enfants et qu'on ne lie celui-ci à la naissance ; du XIIe siècle jusque vers 1970, le baptême a été célébré *quam primum*, comme on disait, c'est-à-dire aussi rapidement que possible

1. Sur ces questions, lire « La Liturgie romaine et l'Inculturation. 4e instruction pour une juste application de la constitution conciliaire sur la liturgie (n°s 37-40) », publiée le 25 janvier 1994 par la Congrégation pour le culte divin et la discipline des sacrements ; *Notitiae*, n° 332, t. 30, 1994-3, p. 80-115 (latin), p. 116-151 (français), p. 152-166 (commentaire) ; *La Documentation catholique*, n° 2093, t. 91, 1994-9, p. 435-446.

après la naissance. Auparavant, en Occident, le baptême était célébré principalement à Pâques. Pourquoi donc choisir ce jour-là ? Parce que c'est le jour de la Résurrection du Seigneur, et que le baptême consiste précisément à nous brancher sur le Christ en ce qu'il a de plus caractéristique, sa mort et sa Résurrection. C'est inscrire, dans la date du baptême, la théologie de saint Paul : « Ignorez-vous que nous tous, baptisés en Jésus Christ, c'est dans sa mort que nous avons été baptisés ? [...] afin que, comme Christ est ressuscité des morts par la gloire du Père, nous menions nous aussi une vie nouvelle » (Rm 6, 3-4).

En situant le baptême à Pâques, la liturgie fait donc de la catéchèse à partir du calendrier. Ce n'est pas banal. Car cela évite, comme c'est trop souvent le cas aujourd'hui, de réduire le baptême à une fête de famille. De plus, Pâques est le jour (ou plutôt la nuit !) où se célèbrent normalement tous les baptêmes, ce qui garantit leur caractère ecclésial ; on n'est pas baptisé tout seul, mais constitué membre du peuple de Dieu, avec des frères et des sœurs. Certains de nos contemporains peuvent ne pas aimer cela, notamment parce qu'ils ont hérité d'une autre conception du baptême ; mais il est difficile de nier que la date privilégiée du baptême ait une signification théologique puissante. Le nouveau rituel précise d'ailleurs, dans son Introduction :

> Pour mettre en lumière le caractère pascal du baptême, il est recommandé de le célébrer durant la veillée pascale ou le dimanche, quand l'Église commémore la résurrection du Seigneur.
>
> On pourra même le conférer, à condition que cela ne soit pas trop fréquent, au cours de la messe dominicale, pour que toute la communauté participe à sa célébration et pour qu'apparaisse plus clairement le lien entre le baptême et l'eucharistie [1].

1. *Rituel du baptême des petits enfants*, Notes doctrinales et pastorales, n° 44, p. 20.

Lors de la révision du rituel du baptême, en 1969, on s'est réjoui de constater que le baptême comprenait dorénavant une liturgie de la Parole. Heureuse initiative, oui ; mais elle signifiait aussi la rupture définitive entre le baptême et la vigile pascale. Car si jusque-là on n'entendait pas la Parole au baptême, c'est parce que *normalement* il se célébrait pendant la grande veillée au cours de laquelle on lit longuement l'Écriture et les préfigurations du baptême. Normalité devenue toute fictive, bien sûr ; mais les fictions sont toujours la trace de quelque réalité.

Chez les coptes d'autre part, en Égypte, le baptême se célèbre principalement à l'Épiphanie. Autre théologie : non plus celle de Paul, mais celle des Évangiles synoptiques où le baptême inaugure la vie (publique) de Jésus. Dans cette Église, le baptême est présenté comme une identification au Christ tout au long de son existence. La liturgie parle sans faire de discours.

La profession de foi baptismale.

Dans son *Traité du Saint-Esprit*, saint Basile a écrit :

> La foi que nous devons confesser, c'est celle que nous avons professée lors de notre baptême [1].

Exemple par excellence de la *lex orandi*. Quelle est notre foi, sinon celle professée dans le sacrement de la foi ? Inutile de chercher midi à quatorze heures ! La phrase de saint Basile pourrait bien éclairer nos débats sur baptême et foi. On connaît la question : la foi est-elle nécessaire au baptême ? Et surtout, quelle foi ? La liturgie répond-elle à cette question ? À considérer le rituel du baptême, on constate qu'il comprend une profession de foi, située juste

1. SAINT BASILE, *Traité du Saint-Esprit*, 67 ; éd. Pruche, « Sources chrétiennes », 17 *bis*, p. 238 ; littéralement :« comme nous sommes baptisés, ainsi nous devons croire. »

avant le geste d'eau ; elle consiste en trois questions posées par le ministre : « Croyez-vous en Dieu, le Père... ? en Jésus Christ... ? en l'Esprit Saint... ? » Manifestement, la liturgie éclaire donc le débat : le baptême comprend une profession de foi, et elle est trinitaire.

Mais la réponse peut se faire encore plus précise ; car les questions posées au baptême, si ce sont bien des questions, proposent cependant le contenu même de la foi ! Un peu comme ces devinettes que l'on pose aux enfants et qui, à bien les écouter, permettent de trouver la réponse. Ici le jeu se fait plus subtil ; les questions proposent les données de la foi trinitaire, mais ne fournissent aucunement la réponse. Celle-ci ne peut venir que de ceux à qui les questions sont adressées ; ils peuvent répondre négativement et s'en aller, ou adhérer par un oui.

Ainsi, sous cette forme rituelle qui peut paraître banale, tant on y est accoutumé, c'est en fait la structure même de la foi qui se donne à voir. On ne demande pas, en effet : « Crois-tu ? » ou « Dis-nous donc quelle est ta foi ». Car la foi ne provient pas de nous ! De même que Dieu nous aime le premier et se propose à nous en Jésus, ainsi l'Église, au baptême, nous propose la foi ; elle nous l'offre, et nous situe librement dans notre vrai rôle devant Dieu. Nous avons bien à répondre, et à nous engager ; mais cet engagement est tout en réponse à l'initiative de Dieu que l'Église nous transmet. Il n'est pas une condition mise par Dieu à son amour ou à notre baptême, il est la réponse à une première découverte d'un Dieu qui nous prévient. Ainsi, dans la manière dont le rituel agence la profession de foi, la structure même de la foi chrétienne se donne à voir [1]. N'est-ce pas bien trouvé ?

1. B. SESBOÜÉ a très bien mis cela en relief dans son article « Les Sacrements de la foi. L'économie sacramentelle, célébration ecclésiale de la justification par la foi » (*La Maison-Dieu,* 116, 1973-4, p. 89-121). Il écrit : « Quand un chrétien, confessant sa foi dans et devant l'Église, reçoit un sacrement, il accomplit concrètement la structure de l'enseignement paulinien de la justification par la foi » (p. 92).

L'EUCHARISTIE

On a déjà montré, dans l'Introduction, l'intérêt théologique du déroulement de la messe. Interrogeons-nous maintenant sur ses origines. Quand donc Jésus a-t-il institué l'eucharistie ? Tous ceux qui ont reçu ne fût-ce qu'un minimum de formation chrétienne ont entendu cette question et ont appris à répondre comme un seul homme : « à la dernière Cène, le Jeudi saint ». Mais d'autre part, quel est le jour privilégié de la célébration de l'eucharistie ? Le dimanche. Pourquoi pas le jeudi, en fidélité au geste du Seigneur ? Qui a raison, la réponse classique ou la pratique liturgique ?

Poser la question en ces termes, c'est y répondre ! Car pourquoi donc l'Église, depuis les origines (et pour une fois cette expression, souvent utilisée de manière approximative, est exacte), se réunit-elle le dimanche pour l'eucharistie, sinon parce que c'est le jour de la Résurrection ? Et à y bien réfléchir, l'eucharistie n'est possible que si le Seigneur est ressuscité. « Si le Christ n'est pas ressuscité, écrivait saint Paul aux Corinthiens, notre prédication est vide et vide aussi votre foi » (1 Co 15, 14). On peut poursuivre l'énumération : si le Christ n'est pas ressuscité, il n'y a ni foi, ni Église, ni sacrement.

Situer l'eucharistie le dimanche n'est donc pas le fait du hasard. C'est une décision hautement théologique. Elle proclame que l'eucharistie n'est pas la répétition de la Cène ni un repas funéraire en souvenir d'un certain Jésus, grand homme peut-être, et sympathique, mais mort comme tous les autres. Se rassembler le dimanche, c'est donner corps à la foi en la Résurrection du Seigneur. Célébrer l'eucharistie ce même jour, c'est affirmer qu'elle est le mémorial de la mort *et* de la Résurrection du Seigneur. D'ailleurs, quel est le moment où les pèlerins reconnaissent le Ressuscité à la fraction du pain, en l'auberge d'Emmaüs, sinon le soir même de Pâques ? Hasard, cela aussi ? Si le jeudi était son jour privilégié, la messe devrait se comprendre comme la reprise de la Cène ; si c'était le vendredi, ce serait la mémoire de la croix ; le samedi, l'attente. Mais il faut le dimanche et la Résurrection pour qu'elle soit véritablement « eucharistie », c'est-à-dire action de grâce, louange, fête et exultation. Il faut rendre grâce à Dieu qui, même après que nous ayons mis son Fils en croix, fait toutes choses nouvelles !

À creuser ainsi le sens de la célébration dominicale de l'eucharistie, on se rend compte qu'elle est porteuse de significations très riches. Peut-être poserait-on bien autrement le fameux problème de la « présence réelle » si on se rendait compte que l'eucharistie n'est possible que grâce à la présence du Ressuscité, et que c'est lui qui nous invite à sa table. Par contraste, on s'aperçoit que la réponse classique rappelée ci-dessus provient d'une théologie teintée d'apologétique, préoccupée de prouver que Jésus est bien à l'origine de l'eucharistie de l'Église. Quelle est donc la réponse la plus riche, celle de la théologie ou celle de la liturgie ? Pourquoi donc la théologie n'écoute-t-elle pas davantage la propre tradition de l'Église ?

À réfléchir ainsi, on constate que la liturgie parle sans mot dire. Situant le baptême à Pâques, elle proclame que la vie chrétienne est passage continuel dans la mort et la Résurrection du Seigneur. Célébrant l'eucharistie le dimanche, elle éclaire la compréhension de la messe, manifestant qu'elle est action de grâce au Dieu vainqueur de la mort. Ne devrait-elle pas le dire plus explicitement ?

À quoi je réponds deux choses. D'abord, que c'est à nous de l'écouter. Avouez que ce ne sont pas des réalités bien difficiles à comprendre. Mais notre esprit, formé à la rationalité théologique, n'a pas été habitué à considérer les réalités simples de la liturgie. Ensuite, effectivement, cette intelligence ne se fait pas toute seule. C'est tout le programme de la *mystagogie*. Que signifie ce mot pesant ? « Mystagogie » veut dire entrée dans le mystère. Elle consiste à introduire les participants dans l'intelligence du mystère célébré ; c'est la catéchèse liturgique. Celle-ci, on l'a vu dans le premier chapitre, s'appuie sur l'expérience de la célébration. La tâche du catéchète, ici du mystagogue, consiste donc à manifester toute la richesse de sens impliquée dans ce que l'on a vécu ensemble. À la vigile pascale, il n'est pas bien difficile de faire saisir que le baptême nous configure au Christ mort et ressuscité, et qu'il marque l'entrée dans l'Église, puisqu'elle est effectivement rassemblée pour la fête. Alors que souvent on s'époumone à expliquer des réalités de la foi privées de tout support concret. Les paroles tombent à plat, pire : à côté de ce que tout le monde constate. Et l'on s'étonne que « cela ne passe pas » ! La catéchèse liturgique se facilite la tâche, oserait-on dire, en ne faisant qu'expliciter le sens de ce que l'on a d'abord expérimenté. Elle refuse de vouloir inculquer dans les esprits des idées que l'on n'a pas d'abord pu saisir dans la célébration.

LES MINISTÈRES

Pour achever cette série d'exemples, prenons-en encore deux, à propos des ordinations. Ils vont sans doute se révéler plus difficiles que les précédents, car beaucoup de chrétiens n'ont ni l'habitude ni la possibilité de participer à des ordinations. Ces développements me paraissent cependant très importants ; le premier révélera une profonde intelligence de l'Église et de sa communion, inscrite dans la procédure de l'ordination épiscopale ; le second nous mettra en présence d'une conception du prêtre assez différente de celle à laquelle nous sommes accoutumés.

Ordinations épiscopales.

L'analyse de l'ordination épiscopale fait apparaître qu'elle comprend trois moments : le choix du candidat, la prière d'ordination, et l'eucharistie [1].

1. L'analyse est facile à réaliser sur un document du IIIe siècle appelé *Tradition apostolique* (chap. 2-4), étant donné la brièveté et le schématisme du texte, mais la même opération peut se faire dans les rituels ultérieurs.

Le choix du candidat d'abord, car il faut bien s'entendre sur celui que l'on va ordonner. L'Église ancienne, on le sait, a procédé par élection, dans des communautés à dimensions beaucoup plus restreintes que celles que nous connaissons aujourd'hui. Puis on a abandonné ce système en faveur d'autres modes de désignation. Mais quelles qu'en soient les modalités, le choix du candidat ne s'identifie pas à l'ordination. Car après s'être entendu sur la personne du futur évêque, on rassemble les chrétiens du diocèse concerné, en présence d'au moins trois évêques voisins, pour la célébration d'ordination ; celle-ci consiste essentiellement en une prière épiclétique (c'est-à-dire invoquant la venue de l'Esprit) accompagnée de l'imposition des mains par les évêques présents. Le tout se couronne dans l'eucharistie, présidée par le nouvel évêque, car par elle se construit l'Église, dans la communion.

Retenons-en deux enseignements. D'abord la distinction entre choix et ordination, nomination et prière. La prise en compte de l'existence de ces deux temps, et de leur non-coïncidence, est de grande portée théologique ; elle permet de surmonter les pénibles controverses post-tridentines entre catholiques et protestants sur la compréhension du prêtre. Aux yeux du catholique moyen, le pasteur n'était qu'un délégué de la communauté, alors que le prêtre était un envoyé de Dieu. Cette phrase, plutôt cette caricature, négligeait la distinction ci-dessus ; même si un homme est choisi par un groupe de chrétiens, ce n'est pas ce choix qui le constitue comme ministre. On ne devient évêque, prêtre ou diacre que par la prière de l'Église, autrement dit par un don de Dieu. La caricature séparait deux aspects, dont l'un et l'autre peuvent se vérifier.

Pour l'ordination d'un évêque, ensuite, on s'entend depuis très longtemps dans l'Église pour exiger la présence d'au moins trois autres évêques. Est-ce parce que les mains doivent peser plus lourd sur la tête d'un évêque que sur celle d'un prêtre ou d'un diacre ? Une fois de plus, on se trouve ici en présence d'un modèle extrêmement intéressant. Il montre à la fois qu'une Église n'est pas la source du ministère qui est en elle ; elle ne peut procéder à elle seule à l'ordination de son évêque. Le ministère lui vient d'ailleurs, comme un don de son Seigneur (« C'est lui qui a donné certains comme apôtres, d'autres comme prophètes, d'autres encore comme évangélistes, d'autres enfin comme pasteurs et chargés de l'enseignement... » [Ep 4, 11]). Ensuite, il est impossible de procéder à l'ordination d'un évêque s'il n'est pas en communion avec les évêques des Églises voisines ; la communion des Églises est garantie (autant que faire se peut) par la communion de leurs ministres. N'est-ce pas bien trouvé ?

Théologie des prières d'ordination.

De beaux travaux ont été consacrés à cette question [1], qui ont contribué à montrer que la tradition de l'Église connaît d'autres manières de considérer les ministères que celles auxquelles nous sommes habitués depuis la théologie scolastique [2].

En fait, et c'est la source de notre étonnement, les prières d'ordination ne sont pas centrées sur la notion de sacerdoce ; elles ne s'expriment pas en termes de configuration au Christ prêtre, ni de participation du prêtre au sacerdoce de l'évêque. En revanche, elles contiennent toutes une demande, essentielle, pour la venue de l'Esprit sur le nouvel ordonné. À écouter les prières, on comprend que le ministère, dans l'Église, est œuvre de l'Esprit. Il faut

1. L'initiateur fut B. BOTTE, « L'Ordre d'après les prières d'ordination », *Études sur le sacrement de l'ordre*, Paris, coll. « Lex orandi », *22*, 1957, p. 13-41 ; voir aussi P.-M. GY, « La Théologie des prières anciennes pour l'ordination des évêques et des prêtres », *Revue des sciences philosophiques et théologiques,* 58, 1974, p. 599-617 ; P. DE CLERCK, « La Théologie des prières d'ordination », *Les Ministères dans l'Église,* numéro spécial de *Prêtres diocésains,* n° 1280, mars-avril 1990, p. 156-166.

2. Cette expression désigne la manière nouvelle de faire de la théologie qui se développe en Occident à partir du XIIe siècle ; elle ne se fait plus principalement à l'occasion de la prédication ou des controverses théologiques, mais dans des écoles *(scholae)*, où elle emploie une méthode plus rigoureuse. Elle sera utilisée en Occident jusqu'au milieu du XXe siècle. Le représentant le plus éminent en est saint Thomas d'Aquin, au XIIIe siècle.

reconnaître qu'elles n'ont guère été « reçues » dans la théologie occidentale ; je ne me souviens pas avoir entendu une seule prédication sur le prêtre qui développait cette dimension.

La prière d'ordination des prêtres, pour sa part, énonce les trois dimensions du ministère presbytéral ; comme les adjoints de Moïse, ils devront aider l'évêque dans la conduite du peuple de Dieu ; comme les fils d'Aaron, ils l'assisteront dans les fonctions liturgiques ; comme les compagnons des apôtres, ils collaboreront à l'enseignement de la foi. La prière fait donc saisir que les ordonnés reçoivent mission de pasteurs, de prêtres et d'annonciateurs de la Parole. Mais il faut reconnaître que cette prière, bâtie sur la typologie[1], est très difficile à comprendre ; ce n'est pas une raison, cependant, surtout pour des théologiens de métier, de prétendre qu'elle ne dit rien des fonctions des prêtres. Elle exprime autre chose que ce qu'on est habitué à entendre aujourd'hui. Mais n'est-ce pas la richesse de la tradition de nous offrir des ressources toujours nouvelles ?

On pourrait encore développer d'autres exemples de l'adage ; la *lex orandi*, en effet, est loin d'être sans intérêt pour la *lex credendi*. Pensons encore à la manière de formuler les doxologies (Gloire au Père...) et aux luttes christologiques des IVe et Ve siècles, ou à l'interprétation des passages bibliques par l'usage que la liturgie en fait.

Ces exemples suffisent à montrer que la liturgie est « intelligente » ; elle véhicule une, ou plutôt des compréhensions de la foi ; elle a une portée théologique. Il convient donc de considérer l'étude de la liturgie comme

1. La typologie était définie par le père Daniélou comme la science des correspondances entre les deux Testaments. Conçue d'abord comme une méthode exégétique, elle a beaucoup influencé la liturgie, par exemple la prière dont nous parlons. Celle-ci, à la différence de ce que beaucoup entendent à première audition, ne compare pas le prêtre d'aujourd'hui à ceux de l'Ancien Testament, mais il lit en ces derniers l'annonce des prêtres chrétiens. La typologie lit l'Ancien Testament à la lumière du Nouveau, et non l'inverse.

une discipline théologique à part entière, ainsi que le font d'ailleurs les documents officiels de l'Église[1]. Malgré l'intérêt incontestable et incontesté des autres disciplines théologiques, on peut se demander pourquoi on accorde habituellement si peu d'importance à l'étude de la tradition liturgique, qui a cependant forgé la conscience chrétienne tout au long de l'histoire d'Occident. Le père Congar a d'ailleurs reconnu que l'Église s'identifie davantage avec sa liturgie qu'avec sa théologie.

Ce chapitre aurait pu s'intituler « Une intelligence de la foi ». L'expression sert couramment de définition à la théologie. Les exemples développés au long des pages précédentes auront montré que la liturgie comprend, sur un plan existentiel plus que notionnel, une véritable intelligence de la foi, présentée gratuitement à qui veut bien ouvrir les yeux et les oreilles.

RAPPORTS THÉOLOGIE-LITURGIE

On a commencé ce chapitre en évoquant les relations théorie-pratique. Le point fort de l'adage qui nous a servi de guide consiste à affirmer, on le comprend mieux maintenant, une priorité épistémologique[2] de l'action liturgique sur les formulations théologiques, de la pratique sur les développements intellectuels. Le baptême, en effet, a été célébré avant que Paul n'en fasse la théologie au

1. Concile Vatican II, décret sur la formation des prêtres, n° 16 (consacré aux disciplines théologiques) : « La sainte liturgie, qui doit être tenue pour la source première et nécessaire de l'esprit authentiquement chrétien, sera enseignée conformément aux articles 15 et 16 de la Constitution de la sainte liturgie. » Ce décret la situe après l'exégèse et la dogmatique, la théologie morale et le droit canonique. Pour leur part, les *Ordinationes* de la Congrégation pour l'enseignement catholique qui ont suivi la constitution apostolique *Sapientia christiana* de 1979 situent la liturgie en sixième lieu, après la théologie pastorale et avant l'histoire de l'Église et le droit canonique.

2. C'est-à-dire de l'ordre de la connaissance ; les nombreux exemples ont montré que l'on peut passer des faits liturgiques à leur intelligence.

chapitre 6 de l'épître aux Romains. Cela rejoint d'ailleurs les conclusions du chapitre précédent sur le rapport extériorité-intériorité.

La mise en relief du sens de l'adage ne dit évidemment pas tout sur le rapport théologie-liturgie. Il ne souligne qu'une direction d'influence, celle qui va de la liturgie à la théologie. Mais il serait naïf de penser que la théologie, pour sa part, n'a jamais exercé d'influence sur la liturgie ! Songeons aux oraisons composées par saint Léon pour la fête de Noël, si riches de christologie. Ou à la Fête-Dieu, officiellement « fête du corps et du sang du Christ » ; ce sont manifestement les idées eucharistiques du XIIIe siècle qui l'ont fait introduire dans le cycle liturgique, à l'initiative de sainte Julienne du Mont-Cornillon (Liège). Ou encore à la fête du Christ-Roi, inaugurée en 1925.

Ce n'est cependant pas une raison pour détourner l'adage de son sens propre, et pour en retourner la signification, comme le font même des documents officiels de ce siècle ; le dernier que j'ai relevé est un passage de la lettre apostolique de Jean Paul II pour le vingt-cinquième anniversaire de la constitution conciliaire, qui affirme : « La fidélité aux rites et aux textes authentiques de la liturgie est une exigence de la *lex orandi*, qui doit toujours être conforme à la *lex credendi*[1]. »

L'affirmation est correcte. On aimerait cependant qu'elle n'utilise pas les termes d'un adage dont toute l'originalité consiste à souligner le mouvement inverse.

Il faut aussi être vigilant à propos des interventions de la théologie dans la liturgie. L'idée même de réforme liturgique suppose d'une part une insatisfaction par rapport à un état donné de la liturgie, d'autre part des idées (théologiques) pour l'améliorer. Les textes liturgiques et les rites ont connu des modifications parfois considérables ; c'est normal, puisqu'ils appartiennent à une tradition vivante. Mais l'évolution doit se faire à bon escient, en respectant la

1. N° 10, § 4. Autres références : encyclique *Mediator Dei* (1947), nos 42-45 ; Préambule de la *Présentation générale du Missel romain,* n° 2, § 3.

nature particulière de la liturgie, et le genre littéraire propre de ses textes. Ceux-ci ne sont pas faits pour exprimer la dernière précision doctrinale. Leur nature est d'être poétiques, évocateurs, symboliques plus que savamment théologiques. Surtout, avant de les modifier, il faut s'interroger sur la signification et le bien-fondé de ceux que l'on change, comme de ceux que l'on introduit.

Les rapports entre liturgie et théologie sont donc de type dialectique ; ils vont dans les deux sens, même si la tradition liturgique revendique la particularité de son apport théologique. Plutôt que de les opposer d'ailleurs, il vaudrait mieux reconnaître que liturgie et théologie ne se situent pas sur le même plan de l'activité humaine. Dom Lambert Beauduin les a caractérisées à l'aide de la distinction aristotélicienne : art, non pas science.

> Les traités théologiques, écrivait-il, s'occupent donc du dogme et de la morale, en vue d'un exposé scientifique et dès lors logique (au sens philosophique du mot) de ces matières : elles n'ont pas formellement en vue l'organisation pratique de l'action : *scientia, non ars*.
>
> Les livres liturgiques au contraire ne sont en rien un exposé scientifique de la doctrine révélée ; ils ne sont pas des traités. Sous ce rapport ils partagent le sort des saints Évangiles, des Épîtres de saint Paul, de tous les livres qui ont en vue la réalisation pratique et vivante des actes ; *ars, non scientia*[1].

Cette manière de concevoir la liturgie ne met-elle pas en cause le rationalisme trop habituel dans la manière d'aborder les réalités religieuses en général, et liturgiques en particulier ? Le chapitre précédent a déjà attiré l'attention, à sa manière, sur la priorité de l'agir. Plus banalement, notre modèle habituel de messe, en trente minutes de

1. L. BEAUDUIN, *La Piété de l'Église. Principes et faits*, Louvain, 1914, p. 91 ; repris dans le livre au titre erroné par rapport aux idées de l'auteur : *La Piété liturgique*, Montréal, 1947, p. 136-137.

concentration intellectuelle, est-il vraiment, c'est-à-dire humainement et anthropologiquement, le plus adapté ? En contraste, on comprend le sentiment de découverte, sinon de libération éprouvé par des personnes qui découvrent pour la première fois une liturgie orientale, ou l'Office de Taizé. Autre bel exemple de rationalisme : la récente réforme liturgique s'est montrée à bon droit extrêmement sourcilleuse pour le contenu et la traduction des oraisons ; en revanche, elle a laissé, en francophonie au moins, toute liberté pour le chant et la musique, avec les dérapages que l'on a connus. Or qui peut dire de mémoire une seule des oraisons du Missel ? Alors que les paroles des chants, portées par une mélodie, s'inscrivent beaucoup plus profondément dans la mémoire, et exercent par là même une influence plus forte sur ceux qui les chantent ou même les entendent.

Outre leur apport spécifique, les deux derniers chapitres ont aussi montré que la liturgie offre une certaine consistance, une objectivité représentée notamment par le fait qu'elle est prescrite par des livres. Cette dimension n'est pas toujours bien perçue par les chrétiens qui ont connu, depuis le dernier concile, une période de réforme liturgique, et qui sont donc habitués à voir — et à subir — des modifications dans les actions liturgiques. Cette objectivité n'est pas totale, la réforme décidée par le Concile le prouve bien. Mais elle a un intérêt, plus grand que beaucoup ne le supposent. Elle demande notamment que le premier réflexe ne consiste pas à vouloir changer les propositions liturgiques et à les remplacer, mais d'abord à les entendre et à les écouter, pour mieux en déployer la richesse en fonction de l'assemblée concrète avec laquelle on célébrera. Adapter la liturgie ne signifie pas la modifier en remplaçant ses textes par d'autres, mais faire en sorte que telle assemblée, toujours particulière, puisse y entrer pour en être nourrie, et en vivre.

CHAPITRE IV

LE CARACTÈRE ECCLÉSIAL DE LA LITURGIE

26. Les actions liturgiques ne sont pas des actions privées, mais des célébrations de l'Église, qui est « le sacrement de l'unité », c'est-à-dire le peuple saint réuni et organisé sous l'autorité des évêques. C'est pourquoi elles appartiennent au Corps tout entier de l'Église, elles le manifestent et elles l'affectent; mais elles atteignent chacun de ses membres de façon diverse, selon la diversité des ordres, des fonctions, et de la participation effective.

27. Chaque fois que les rites, selon la nature propre de chacun, comportent une célébration commune, avec fréquentation et participation active des fidèles, on soulignera que celle-ci, dans la mesure du possible, doit l'emporter sur leur célébration individuelle et quasi privée. Ceci vaut surtout pour la célébration de la messe (bien que la messe garde toujours sa nature publique et sociale), et pour l'administration des sacrements[1].

La mise en relief de la dimension ecclésiale de la liturgie exige bien un chapitre[2]. Car on entend si souvent les

1. Constitution conciliaire sur la liturgie, n°s 26-27.
2. Ce chapitre reprend la substance d'un article publié sous le titre « Le Caractère ecclésial des oraisons » (*La Maison-Dieu*, 196, 1993-4, p. 71-86).

chrétiens considérer que « tout cela, c'est l'affaire du prêtre ». Sentiment qui n'est pas entièrement faux. Il est cependant fondamentalement inexact, même s'il s'explique par la cléricalisation dont la liturgie a été l'objet, et par la manière dont sont bâties de nombreuses églises, séparant les prêtres et les autres chrétiens par ce qu'il est curieusement convenu d'appeler « le banc de communion » !

J'aimerais montrer ici que toute la liturgie est construite comme l'action d'une assemblée, réunie à l'invitation du Seigneur, et structurée par l'existence en elle de diverses fonctions et notamment par la présence d'un ministre ordonné ; celui-ci n'est pas indispensable à la réalisation de tout acte liturgique, la liturgie des heures par exemple, mais il est requis pour les actions proprement sacramentelles, afin de signifier qu'elles sont les manifestations par excellence du Seigneur à notre égard. La liturgie est parfois nommée d'ailleurs « la prière de l'Église », expression qui résume bien le propos de ce chapitre.

« Les actions liturgiques ne sont pas des actions privées, mais des célébrations de l'Église. » Les deux paragraphes de la constitution conciliaire cités ci-dessus prennent le contre-pied de l'opinion courante. L'affirmation est essentielle pour saisir ce qu'on entend par la « participation » : le terme évoque trop souvent l'idée que le prêtre, par gentillesse ou pressé par les revendications des laïcs, laisserait participer l'assemblée à des actes qui lui reviendraient en propre. Ou, à l'inverse, qu'il devrait au plus tôt laisser aux laïcs ce qu'il leur aurait arraché, au Moyen Âge, par réflexe clérical. L'une et l'autre de ces opinions sont fausses. Aussi est-il moins ambigu de parler du caractère ecclésial de la liturgie ; son sujet est l'Église[1]. Une pre-

1. Lire à ce propos Y.-M. CONGAR, « L'*Ecclesia* ou communauté chrétienne, sujet intégral de l'action liturgique », dans J.-P. JOSSUA et Y.-M. CONGAR, *La Liturgie après Vatican II*, Paris, Éd. du Cerf, coll. « Unam sanctam », 66, 1967, p. 241-282 ; Ch. POTTIE et D. LEBRUN, « La Doctrine de l'*Ecclesia*, sujet intégral de la célébration, dans les livres liturgiques depuis Vatican II », *La Maison-Dieu*, 176, 1988-4, p. 117-132.

mière manière de l'observer est de constater que toutes les prières liturgiques sont formulées en « nous », à la première personne du pluriel[1]. Cette formulation ne doit pas se comprendre à la manière d'un pluriel de majesté, comme si le prêtre n'osait pas dire « je ». Le « nous » est celui de l'Église assemblée, dont le prêtre fait partie, même s'il y exerce un rôle liturgique différent des autres participants.

Ce chapitre développera ces perspectives par l'analyse liturgique des oraisons, et du dialogue de la préface ; en finale, il s'interrogera sur la manière de comprendre le terme « Église », dans ce contexte.

STRUCTURE DES ORAISONS ROMAINES

On considérera ici non pas le texte des oraisons et leur signification, mais le sens de leur structure. On voudrait montrer que leur architecture contient une façon de comprendre l'Église, ou mieux encore, que leur manière de faire prier met en œuvre un certain type de rapport entre l'assemblée, le prêtre et Dieu.

Les oraisons de la liturgie romaine comptent en effet quatre éléments : une invitation, une prière silencieuse, une collecte et un *Amen*.

L'invitation, dans le cas des oraisons, est réduite au strict minimum : *Oremus* ; la traduction française l'allonge quelque peu : « Prions le Seigneur ». Remarquons qu'elle se présente à la première personne du pluriel ; elle est donc destinée à toute l'assemblée. Si elle ne concernait que le prêtre, celui-ci s'adresserait à lui-même l'injonction : « Prie le Seigneur ». Avant le *Notre Père*, ainsi que dans des rites plus amples comme la bénédiction des Cendres, la

1. P.-M. GY, « Le “ nous ” de la prière eucharistique », *La Maison-Dieu*, 191, 1992-3, p. 7-14.

consécration du chrême le Jeudi saint ou les Oraisons solennelles du Vendredi saint, l'invitation prend plus de consistance ; elle devient un véritable invitatoire qui exprime la visée de la demande afin d'orienter la prière qui suit [1]. Dans la liturgie romaine, l'invitation est prononcée par le prêtre, tandis qu'en Orient elle revient au diacre.

Ainsi, avant même que la prière ne commence, son caractère ecclésial est déjà posé, car une invitation à la prière est adressée à une assemblée. C'est ici l'occasion de mettre en relief la dimension invitatoire de la prière chrétienne, admirablement exprimée par le psaume invitatoire du premier office du jour :« Venez, crions de joie pour le Seigneur... » (Ps 94) et plus largement par le fait que les oraisons et d'autres prières — pensons à la prière eucharistique — commencent par une invitation à prier en commun ; en Occident, c'est la liturgie hispanique qui a donné à ce trait le plus d'ampleur. Ainsi est mis en relief le caractère dialogal de la prière liturgique, inscrit dans la forme de l'acte de prière que la liturgie propose.

La *prière* qui suit se fait en deux temps. Le premier est silencieux. C'est le moment où toute l'assemblée, qui vient d'être invitée à entrer en prière, peut effectivement s'y adonner. Temps béni où les chrétiens, ayant répondu à l'appel du Seigneur et s'étant rassemblés, font monter vers Dieu leur prière avec une diversité que personne ne peut connaître, dans une unanimité que rien ne vient troubler, grâce au souffle qui est celui même de l'Esprit. Il suffit d'avoir un jour « entendu » ce silence ecclésial pour regretter qu'il soit si peu respecté par les liturges ; séquelle des messes privées, mais aussi d'une ecclésiologie où la prière du peuple n'était guère prise en considération.

Le second temps est celui de la prière vocale ; la prière silencieuse de l'assemblée est rassemblée par le prêtre, qui

1. Dans les pages qui suivent, on nommera « invitation » la formule brève, « invitatoire » la monition développée indiquant l'objet de la demande et/ou le(s) bénéficiaire(s).

exerce ici pleinement sa fonction sacerdotale. La réforme liturgique de Vatican II a jugé bon d'emprunter à la liturgie gallicane l'ancien mot de « collecte », qui dit très exactement la fonction de cette énonciation ; mieux que le terme « oraison », il manifeste que la prière ne se réduit pas à sa formulation orale, mais que celle-ci vient réunir en un faisceau tout ce qui sort du cœur des chrétiens rassemblés. Son contenu oriente aussi la prière de l'assemblée et lui enseigne à « prier comme il faut » (Rm 8, 26) ; sa forme lui donne structure, accoutumant par exemple les chrétiens à s'adresser à Dieu, par le Fils, dans l'Esprit.

En ces deux temps, celui de la prière silencieuse de chacun et celui de la prière formulée par le président au nom de l'Église, on trouve l'une des articulations entre prière personnelle et prière communautaire, toutes deux indispensables à une véritable action liturgique [1].

En stricte logique, on ne peut donc pas dire que l'oraison est « la prière du prêtre ». Celui-ci invite l'assemblée à prier, et après la prière silencieuse il présente à Dieu, à haute voix, le bouquet qu'elle lui adresse [2]. Il serait donc plus exact de parler de « la prière de l'Église » ; si elle est collectée dans l'oraison énoncée par le prêtre, son sujet intégral est bien l'assemblée.

Le dernier élément de l'oraison est l'*Amen*. Il marque l'adhésion du peuple, son approbation. Mieux encore : par la reprise de ce terme hébreu, il exprime sa foi dans la fidélité de Dieu qui ne manquera pas de réaliser ce que l'Église lui demande avec confiance. Car en hébreu *Amen*

1. Voir l'article de L.-M. CHAUVET, « Liturgie et prière », *La Maison-Dieu*, 195, 1993-3, p. 49-90 (particulièrement p. 70-73).

2. Un ami de saint Jean Chrysostome, Théodore de Mopsueste, comparait le prêtre à la *langue* de l'Église : « Le pontife remplit le rôle d'un membre plus honoré que les autres membres du corps ; je vais dire comment. [Il en est] l'œil ou la langue. En effet, à la ressemblance de l'œil, il voit les œuvres de tout le monde et, avec la sollicitude du sacerdoce, corrige et remet en ordre chacun selon ce qui convient à la règle du sacerdoce ; dans le rôle de la langue, il présente les prières de tous » (THÉODORE DE MOPSUESTE, *1re homélie sur la messe*, éd. Tonneau-Devreesse, Città del Vaticano, « Studi e Testi », 145, 1949, p. 517).

veut dire plus que « Ainsi soit-il ». La racine est celle de la fidélité. En disant *Amen*, on acclame la fidélité de Dieu ; outre 2 Co 1, 20, on peut lire Ap 7, 12 où *Amen* commence un chant de louange.

On s'étonnera peut-être de cette analyse, estimant qu'elle correspond plus à un décorticage de liturgiste qu'à un reflet de la réalité. Voici cependant comment s'exprime la *Présentation générale du Missel romain,* en son numéro 32 :

> Le prêtre invite le peuple à prier ; et tous, avec le prêtre, font silence pendant un peu de temps, pour prendre conscience qu'ils se tiennent en présence de Dieu et pour mentionner intérieurement leurs intentions de prière. Puis le prêtre prononce l'oraison appelée habituellement « collecte ». Elle exprime le caractère de la célébration, et par la bouche du prêtre elle adresse sa supplication à Dieu, le Père, par le Christ, dans l'Esprit Saint. Le peuple s'unit à la supplication, y acquiesce, puis il la fait sienne par l'acclamation *Amen*[1].

La prière universelle.

On trouve les mêmes éléments dans la prière universelle, agencés dans une structure quelque peu différente. Le prêtre commence par inviter l'assemblée à prier. Puis un diacre, ou un membre de l'assemblée, énonce des intentions de prière. Celles-ci apparaissent, structurellement, comme un développement de l'invitatoire du prêtre, ou du « Prions le Seigneur » de l'oraison ; elles indiquent les bénéficiaires de la prière, éventuellement ce qu'on leur souhaite. Elles se présentent souvent comme des invita-

1. Le texte ne signale pas le geste d'orant du prêtre ; il est cependant très important pour que tous (y compris le prêtre) distinguent bien ce type de parole des adresses à l'assemblée, par exemple. Chez les peuples où l'expression corporelle est habituellement plus développée, le geste de l'orant accompli par toute l'assemblée fait saisir physiquement qu'il s'agit d'un intense moment de prière, comme on l'a observé au chapitre II à propos du Zaïre.

toires adressées à l'assemblée ; elles peuvent aussi prendre la forme de prières, destinées à Dieu.

La prière de l'assemblée, silencieuse dans le cas de l'oraison, peut se faire ici soit par un refrain soit par un temps de silence ; celui-ci convient particulièrement bien quand les demandes sont adressées à Dieu ; il évite aussi les rengaines.

Le prêtre conclut l'ensemble du formulaire par une oraison, ratifiée par l'*Amen* de l'assemblée.

On retrouve donc dans la prière universelle les quatre temps des oraisons, mais avec une amplification de l'élément invitatoire. Plus finement encore, on peut estimer que si les intentions ont forme d'invitatoires, elles amplifient l'introduction du président ; si elles se présentent comme des prières, elles développent en l'anticipant l'oraison conclusive [1].

On sait que l'on utilise aussi, pour désigner cette prière, l'expression « prière des fidèles [2] ». Elle fut pour beaucoup dans le succès rencontré par la restauration de la prière universelle, car de nombreux chrétiens ont entendu le terme « fidèles » en opposition à « prêtre », à l'intérieur d'une ecclésiologie cléricale. Ils ont compris qu'enfin, dans la messe, une prière leur revenait, et ils s'en sont réjouis. Maigre joie ! Car d'une part l'expression prière des fidèles provient des liturgies orientales où, après la liturgie de la Parole, sont renvoyés ceux qui ne participent pas encore à l'eucharistie ; chaque fois, une prière est faite pour eux. Puis on passe à la prière des fidèles, c'est-à-dire des *baptisés*, qui vont participer à la célébration eucharistique ;

1. La différence entre invitatoire destinée à l'assemblée et prière adressée à Dieu est évidente quand on l'énonce en ces termes, mais la pratique montre qu'on mélange souvent ces deux genres littéraires ; ainsi par exemple on commence une intention par « Nous te prions, Seigneur... », et on l'achève par « Prions le Seigneur ». La même phrase comprend ainsi deux destinataires, preuve que l'on ne sait pas à qui l'on parle.

2. La restauration de la prière universelle a été décidée par la constitution *Sacrosanctum concilium*, au numéro 53, qui commence par les mots : « La " prière commune " ou " prière des fidèles ", sera rétablie après l'Évangile et l'homélie... »

le terme « fidèles » recouvre donc autant les ministres que les laïcs ! D'autre part, se précipiter sur la prière des fidèles comme sur son bien propre, c'est en fait abandonner tout le reste de la liturgie au prêtre, comme si elle était sa propriété ! L'engouement que l'on a connu pour la prière universelle est heureux, mais ses motifs, on le voit, provenaient d'une ecclésiologie située aux antipodes de celle que la prière elle-même reflète. À l'analyser, on se rend compte qu'elle est, comme les oraisons, une prière de l'Église, où chacun prend la part qui lui revient. Voici ce qu'en dit la *Présentation générale du Missel romain :*

> Dans la prière universelle, le peuple, exerçant sa fonction sacerdotale, supplie pour tous les hommes... [n° 45].
>
> C'est au prêtre célébrant de diriger la prière, d'y inviter les fidèles par une brève monition, et de la conclure par une oraison. Il convient que les intentions soient proférées par le diacre, le chantre ou un autre. Mais c'est toute l'assemblée qui exprime sa supplication, soit par une invocation commune à la suite des intentions, soit par une prière silencieuse [n° 47].

Les Oraisons solennelles du Vendredi saint offrent une structure encore différente, répétée dix fois. Le prêtre lance l'invitatoire, l'assemblée prie silencieusement, le prêtre formule l'oraison, et le peuple répond *Amen.* Avant 1970, le temps de silence était introduit par un *Flectamus genua* (« Mettons-nous à genoux ») diaconal qui le mettait plus en relief, et conclu par un *Levate* (« Levons-nous »)[2].

1. On appréciera l'incise qui interprète théologiquement le sens de l'acte liturgique. Les prières liturgiques articulent donc la fonction sacerdotale du peuple de Dieu qui est invité à prier le Seigneur, et celle de l'évêque ou du prêtre qui, au nom de l'Église, adresse vocalement à Dieu cette prière. On trouvera des développements intéressants sur l'action du prêtre *au nom de l'Église* dans B.-D. MARLIANGEAS, *Clés pour une théologie du ministère. In persona Christi-In persona Ecclesiae*, Paris, coll. « Théologie historique », 51, 1978.

2. On trouvera toute la documentation dans mon livre *La Prière universelle dans les liturgies latines anciennes*, Münster, 1977.

Les ordinations.

Il en va de même encore dans les ordinations de l'évêque, des presbytres ou des diacres. Après les questions posées aux candidats à propos du ministère qu'ils vont recevoir, le président de l'assemblée invite celle-ci à prier. La prière cette fois n'est pas silencieuse, mais elle prend la forme de la litanie des saints, longue invocation des amis de Dieu, qui situe l'événement présent dans la lignée de l'histoire du salut. Étant donné l'ampleur de la célébration comme de la litanie elle-même, celle-ci est, exceptionnellement, suivie d'une collecte avant d'être prolongée par la grande prière d'ordination prononcée par l'évêque et conclue par l'*Amen* de l'assemblée.

Ainsi la structure de la prière liturgique, attestée dans les diverses formes que nous venons de parcourir, met-elle en lumière son caractère ecclésial. Elle articule prière personnelle et prière communautaire. Elle joint prière du prêtre et prière de l'assemblée, que celle-ci prenne forme silencieuse ou vocale. Elle est l'expression de la prière de l'Église.

LE DIALOGUE DE LA PRÉFACE

Le caractère ecclésial de la prière liturgique est splendidement illustré encore par l'introduction à la prière eucharistique. Que d'incompréhension et de récriminations à l'égard de cette dernière ! Les remarques les plus fréquentes critiquent le fait qu'elle consiste en une longue prière du prêtre. Oui et non, encore une fois ; son dialogue introductif est très instructif à ce propos.

Le Seigneur soit avec vous. — Et avec votre esprit.

Ce double souhait est utilisé fréquemment dans la liturgie, tant à la liturgie des heures qu'à l'eucharistie. Il apparaît quatre fois au cours de cette dernière : lors de l'entrée, où on peut utiliser également d'autres formulations ; avant la lecture de l'Évangile ; lors du dialogue ouvrant la prière eucharistique ; lors de l'envoi, juste avant la bénédiction.

À quoi l'on peut joindre la réponse de l'assemblée au souhait de paix que lui adresse le président, après le *Notre Père.*

Certains sont énervés par ces formules, qui leur paraissent désuètes. Quelle en est donc la signification ?

Le Seigneur soit avec vous.

Dans le Nouveau Testament, le terme « Seigneur » désigne le Christ ressuscité ; il faut donc comprendre, le plus normalement, que le prêtre souhaite aux fidèles assemblés la présence du Ressuscité, telle qu'il l'a promise[1]. Il vaut la peine de remarquer qui est cité, dans ce souhait : le Seigneur, d'une part, et « vous » de l'autre ; ce sont les partenaires principaux de la célébration[2]. De manière subtile et très significative, le prêtre lui-même n'est pas nommé ! C'est lui qui prononce le souhait, mais pour souhaiter précisément que le Christ soit présent à l'assemblée afin qu'elle puisse accomplir sa fonction liturgique. Cela dit très bien (sans le dire !) que le prêtre n'est pas la seule personne importante de la célébration ; au

1. Mt 18, 20 ; 28, 20. Le souhait se rencontre déjà dans l'Ancien Testament, notamment en Rt 2, 4, avec la réponse : « Que le Seigneur te bénisse. »

2. Un amateur de jeux de mots a lancé un jour : « Le bonheur soit avec vous ! » Belle paraphrase, très évocatrice, susceptible de renouveler la compréhension du souhait si souvent entendu. Et pourtant, à y réfléchir, ne vaut-il pas mieux nous entendre souhaiter que le Seigneur soit avec nous ? Car le bonheur n'est qu'un terme abstrait, tandis que le Seigneur est une personne, et précisément la Personne la plus capable de nous rendre heureux.

contraire, c'est le seul qui n'est pas explicitement cité ; il agit comme un ministre, comme un serviteur du projet du Seigneur[1].

D'autre part, le souhait s'adresse à « vous », c'est-à-dire à plusieurs, à une assemblée, à l'Église assemblée. On connaît la réponse de Pierre Damien (XIe s.) aux objections de ses contemporains qui se demandaient si c'est aux pierres ou aux planches de sa cellule qu'il faut souhaiter la présence du Seigneur, quand on célèbre seul l'Office divin. Pierre Damien écrit à Léon, un ermite qui, dans sa solitude, devait éprouver particulièrement l'acuité de l'objection. Sa lettre répond admirablement à la question posée, avec infiniment plus de profondeur que n'en manifestait la question. Il cite d'abord un grand nombre de passages bibliques qui font comprendre le sens du souhait, par exemple ce verset de Lv 26, 11 : « Le Seigneur n'a-t-il pas daigné dire, par la bouche du prophète : “ J'habiterai en eux ” ? » Il développe alors le sens ecclésial du souhait :

> Le lien d'amour qui est au principe même de la cohésion de l'Église est de telle nature qu'il lui donne d'être à la fois une dans la pluralité et tout entière, d'une façon mystérieuse, en chaque individu *[et in pluribus una, et in singulis tota]*. C'est donc avec raison que, d'une part, l'Église universelle nous est présentée comme l'unique épouse du Christ et que, d'autre part, chaque âme individuelle peut être considérée comme réalisant pleinement en elle le mystère sacramentel de l'Église.

Il poursuit :

> Si donc l'Église tout entière est l'unique corps du Christ et si nous sommes les membres de l'Église, qu'y a-t-il d'étrange

1. On se souvient des explications de Jean Chrysostome, à propos de la formule baptismale : « L'officiant ne dit pas : “ Je baptise un tel ”, mais : “ Est baptisé un tel ”, montrant qu'il est seulement le ministre de la grâce et qu'il ne fait que prêter sa main, parce qu'il a été ordonné à cette fonction de la part de l'Esprit. Celui qui accomplit tout, c'est le Père, le Fils et le Saint-Esprit, l'indivisible Trinité » (*IIe Catéchèse sur le baptême*, éd. A. WENGER, « Sources chrétiennes », 50, p. 148).

> à ce que chacun puisse utiliser les paroles du corps, c'est-à-dire de l'Église, puisque nous sommes un avec elle ? [...]
> On dit parfois en employant un terme grec que l'homme est un microcosme, un monde en miniature. Nous trouvons en lui, en effet, les quatre éléments constitutifs du monde de la matière. On pourrait dire aussi de tout fidèle qu'il est l'Église en miniature parce que tout chrétien reçoit, sans qu'il en résulte quelque dommage pour le mystère de l'unité, tous les fruits *[sacramenta]* de la rédemption acquis par le christ pour l'Église universelle. Si donc un seul peut recevoir la plénitude de la grâce des sacrements de l'Église entière, pourquoi lui serait-il refusé de faire siennes les paroles de cette même Église puisque les sacrements sont tellement plus importants encore que les mots[1] ?

Étant donné la question posée, le texte comprend des accents qui pourraient justifier trop facilement la récitation privée de l'office. Mais l'essentiel n'est pas là ; il est dans le mystère de l'Église, dont Pierre Damien a vive conscience qu'il se joue dans les dialogues de la prière liturgique. Prier l'office, ce n'est pas s'acquitter d'un devoir individuel. C'est élargir sa prière aux dimensions de l'Église entière, au point de pouvoir dire effectivement : « Le Seigneur soit avec vous » même si personne n'est là pour entendre le souhait. Un peu comme lors de l'invitation à communier : « Heureux les invités au repas du Seigneur. » On entend dire parfois : « Heureux sommes-*nous* d'être invités... » Bien sûrs nous sommes invités, mais nous ne sommes pas les seuls à l'être. Avons-nous le droit de limiter le nombre des invités de Dieu ? Et de réduire les dimensions de notre communion fraternelle ?

Et avec votre esprit.

Au vœu du prêtre, l'assemblée répond à son tour par un souhait. Le grand liturgiste J. A. Jungmann a soutenu

1. Pierre DAMIEN, *À Léon, ermite* ; PL 145, 231-252, chap. 5 et 10 dans la traduction de L.-A. Lassus, *Du désert à l'action*, Paris, coll. « Les Pères dans la foi », 48, 1992, p. 21 et p. 28-29 ; les dix premiers chapitres en sont traduits partiellement dans *La Maison-Dieu*, 21, 1950, p. 174-181.

l'origine sémitique du terme « esprit », dans ce répons [1], et son identité avec le pronom personnel, ce qui a entraîné en certaines langues la traduction : « Et avec toi aussi [2] ». On a montré depuis lors que si le souhait a des racines bibliques, il est spécifiquement paulinien ; dans ce contexte « esprit » ne peut être synonyme de « âme », et ne désigne pas non plus, de manière générale, la personne du ministre [3].

Les preuves en sont philologiques et liturgiques. En aucune langue sémitique, d'abord, on ne trouve l'équivalence entre esprit *(ruah-ruho)* et le pronom personnel. Ensuite, les liturgies syriennes orientales ont le répons : « Et avec toi et avec ton esprit [4] » ; si les deux membres étaient synonymes, ce serait une tautologie.

Quel est alors le sens biblique du terme ? Citons B. Botte : « Il semble bien que “ esprit ”, quand il s'agit de

1. J. A. JUNGMANN, *Missarum sollemnia* ; trad. fse, Paris, 1952, t. II, p. 122.

2. À consulter les traductions dans les principales langues européennes, on constate que le français, l'allemand, l'italien et l'espagnol gardent dans le répons la mention de l'esprit. Les pays anglophones ont adopté « *And also with you* ». Au Portugal, on entend « Il [le Seigneur] est au milieu de nous », ce qui supprime curieusement toute adresse au président de l'assemblée ; la première édition du missel brésilien portait « *E contigo tambem* » (« Et avec toi aussi » ; ce répons voulait, paraît-il, éviter les relents de spiritisme) ; l'édition de 1992 suit la version portugaise. — Certains livres offrent un choix : les anglicans d'Amérique du Nord entre « *And also with you* » et « *And with thy spirit* » qui suit le *Book of Common Prayer* ; l'*Alternative Service Book* anglican de 1980 propose soit « *The Lord be with you — And also with you* », soit « *The Lord is here — His Spirit is with us* », qui offre la même particularité que la version portugaise. Enfin le Missel néerlandais laisse le choix entre la formule traditionnelle (avec l'esprit) et la suivante : « Le Seigneur sera chez/avec vous — Le Seigneur vous gardera. »

3. Les deux articles principaux sont celui de W. C. VAN UNNIK, « *Dominus vobiscum*. The Background of a Liturgical Formula », dans : A. J. B. HIGGINS (éd.), *New Testament Essays. Festschrift für Th. W. Manson,* Manchester, Manchester University Press, 1959, p. 270-305 ; repris dans W. C. VAN UNNIK, *Sparsa collecta. The Collected Essays*, t. III, Leyde, « Novum Testamentum, Suppl. », 31, 1983, p. 362-391 ; et celui de L. BERNHARD, « Ursprung und Sinn der Formel “ *Et cum spiritu tuo* ” », dans : *Itinera Domini*. Gesammelte Aufsätze aus Liturgie und Mönchtum Emmanuel von Severus osb zur Vollendung des 80. Lebensjahres am 24 August 1986 dargeboten, « *Beiträge zur Geschichte des Alten Mönchtums und des Benediktinertums, Supplementband* », 5, Münster, Aschendorff, 1988, p. 133-156. On peut aussi lire P. DUPLOYÉ, « Catéchèse sur le *Dominus vobiscum* », *La Maison-Dieu*, 181, 1990-1, p. 133-137. Sur la trilogie « esprit-âme-corps » et sa compréhension par les Pères, lire A. ROSE, « Ps 15, 10 et Ps 30, 6 dans la tradition chrétienne », dans : A. M. TRIACCA-A. PISTOIA (éd.), *Liturgie et anthropologie,* Rome, « *Bibliotheca “ Ephemerides liturgicae ”, Subsidia* », 55, 1990, p. 229-244.

4. F. E. BRIGHTMAN, *Liturgies Eastern and Western,* Oxford, 1896, p. 275.

l'homme, est la faculté supérieure qui peut recevoir l'Esprit de Dieu. C'est l'avis, entre autres, d'un exégète compétent, le P. C. Spicq : " Le *pneuma* est la partie spirituelle de l'homme la plus apparentée à Dieu, objet immédiat des actions et des influences divines [...] c'est notamment le réceptacle de l'Esprit de Dieu[1]. " »

Comment donc comprendre le sens originel du souhait ? Le prêtre souhaite à l'assemblée de se tenir dans la présence du Ressuscité. En retour, l'assemblée souhaite au prêtre que le Seigneur soit avec lui en ce qu'il a de plus « spirituel », en vue de l'accomplissement de son service liturgique.

Ultérieurement, au IVe siècle, les Pères de l'Église de la région d'Antioche développèrent une compréhension pneumatologique du souhait liturgique, rappelée récemment par J. Lécuyer[2]. Citons au moins deux extraits :

> « Le pontife donc prie : Paix à tout le monde » [...] « Or à ceci les assistants répondent : Et à ton Esprit. »
>
> C'est cette même prière qu'ils lui rendent eux aussi : ainsi devient-il manifeste au pontife lui-même et à tous également, que non seulement les autres ont besoin de la bénédiction et de la prière du pontife, mais que lui aussi a besoin de la prière de tous. En conséquence, selon la règle depuis le commencement [établie], la mention des pontifes en toutes les prières ecclésiastiques se fait aussi [bien] que celle des autres, parce que tous nous sommes *un seul corps de Notre Seigneur le Christ* (1 Co 12, 27) et tous *nous sommes membres les uns des autres* (Ep 5, 27) [...].
>
> Or, ce n'est pas l'âme qu'ils [veulent] dire par ce « et avec ton Esprit[3] », mais c'est la grâce de l'Esprit Saint, par laquelle ceux qui lui sont confiés croient qu'il eut accès au sacerdoce. Ainsi dit le bienheureux Paul : *[Dieu] que je sers*

1. B. BOTTE, « Dominus vobiscum », *Bible et vie chrétienne*, n° 62, 1965, p. 33-38 (ici p. 37), citant C. SPICQ, *Les Épîtres pastorales*, Paris, 1947, p. 397.

2. J. LÉCUYER, « " Et avec ton esprit ". Le sens de la formule chez les Pères de l'Église d'Antioche », dans : *Mens concordet voci*, pour Mgr A. G. Martimort à l'occasion de ses quarante années d'enseignement et des vingt ans de la constitution *Sacrosanctum concilium* (Paris, 1983, p. 447-451).

3. L'auteur semble bien donner raison aux philologues cités à la note 3, p. 99.

> *en Esprit dans l'Évangile de son Fils* (Rm 1, 9), comme on dirait : par le don de la grâce de l'Esprit Saint, qui m'a été donnée pour que je remplisse le service de l'Évangile et [que] tous, vous vous réunissiez avec mon esprit à moi [1].

Pour sa part, Jean Chrysostome commente :

> S'il n'y avait pas de Saint Esprit, il n'y aurait pas de pasteurs et de docteurs dans l'Église ; car eux aussi ne le deviennent que par l'Esprit, comme le déclare Paul : *Dans ce troupeau, l'Esprit Saint vous a établis comme pasteurs et épiscopes* (Ac 20, 28). Ne voyez-vous pas que cela aussi est l'œuvre de l'Esprit ? S'il n'y avait pas d'Esprit Saint dans le Père et Docteur commun que voici [2], lorsque, il y a un instant, il est monté à ce saint autel et qu'il vous a donné à tous la paix, vous ne lui auriez pas répondu tous ensemble : *Et avec ton Esprit.* Aussi, ce n'est pas seulement quand il monte à l'autel, ou quand il nous parle, ou quand il prie pour vous, que vous lui adressez ce souhait ; mais, aussi, lorsqu'il se tient à cette table sainte, quand il va offrir ce sacrifice redoutable (les initiés savent ce que je veux dire), il ne porte la main sur les oblats qu'après avoir demandé pour vous la grâce du Seigneur et que vous lui avez répondu : *Et avec ton Esprit.* Par cette réponse, vous vous remettez en mémoire que celui qui est visiblement présent ne produit rien, que les dons qui sont là ne sont pas l'œuvre de la nature humaine, mais que c'est la grâce de l'Esprit survenant et couvrant tout de ses ailes qui accomplit le sacrifice mystique [3].

Ces textes témoignent avec vigueur du sens épiclétique des prières d'ordination, tel qu'on l'a noté au chapitre III. Aussi, lorsque l'assemblée répond au vœu du prêtre, en lui disant : « Et avec votre esprit », elle désigne, selon ces Pères, le souffle qui fait de cet homme un prêtre, plus

1. THÉODORE DE MOPSUESTE, *1re homélie sur la messe*, p. 517-519.
2. L'auteur désigne l'évêque Flavien en présence de qui il prêche.
3. JEAN CHRYSOSTOME, *Homélie sur la Pentecôte* 1, 4 ; PG 50, p. 458-459, traduite par Lécuyer, p. 449. On retrouve ici la théologie du ministère signalée à la note 1, p. 97 à propos du baptême.

précisément l'Esprit qu'il a reçu au jour de son ordination, et qui le rend apte à présider la célébration. Le prêtre ne peut aucunement revendiquer les actes spécifiques de son ministère comme s'ils relevaient de son initiative propre ; seul l'Esprit peut l'habiliter à pareille tâche.

On comprend aussi que ce souhait, situé au début de la célébration, n'équivaut en rien à un « bonjour » ; ce dernier situerait le président en dehors de l'assemblée, la saluant comme de l'extérieur, alors que, par le souhait liturgique, il introduit véritablement à la célébration pour laquelle tous sont réunis en présence du Ressuscité, et que l'Esprit lui donne de présider[1].

Élevons notre cœur. — Nous le tournons vers le Seigneur.

L'assemblée étant ainsi structurée dans son rapport au Seigneur grâce au ministère du prêtre, celui-ci peut poursuivre, en disant : « Élevons notre cœur[2]. » Invitation, formulée en « nous », c'est-à-dire adressée à toute l'assemblée, à entrer dans l'action de grâce avec les sentiments qui conviennent. Tous lui répondent : « Nous le tournons vers le Seigneur », réponse dans laquelle le verbe « tourner », admirablement choisi puisqu'il est un des verbes de la conversion, souligne le mouvement à opérer pour rendre grâces[3].

1. On comprend aussi pourquoi, à laudes et à vêpres, on n'utilise ces mêmes souhaits que si la présidence est exercée par un prêtre ; voir la *Présentation générale de la liturgie des heures*, n° 54, et les indications données dans l'ordinaire de ces deux offices.

2. Dans sa concision, le latin n'utilise pas d'adjectif possessif ; la formule *Sursum corda* n'indique pas s'il s'agit de *vos* cœurs ou de *nos* cœurs. L'indécision se maintient dans les traductions modernes ; certaines évitent de se prononcer, comme la portugaise *Coraçoes ao alto* ou la polonaise *Kvisku srca* ; d'autres optent pour l'adresse à l'assemblée, telle l'anglophone *Lift up your hearts*, l'allemande *Erhebet die Herzen*, ou la néerlandaise *Verheft uw hart* ; d'autres enfin passent au nous, comme le faisaient d'ailleurs les anaphores orientales (*Anô hèmôn tas kardias*, liturgie de saint Marc, dans Brightman 125 ; *Anô schômen tas kardias*, liturgie byzantine, *ibid.* 321), comme l'italienne *In alto i nostri cuori*, l'espagnole *Levantemos el corazon* ou la française *Élevons notre cœur*.

3. Le verbe, cher à Patrice de La Tour du Pin, revient dans plusieurs de ses hymnes, notamment « Retournez-vous, voici l'Esprit » (K 73) à l'office des lectures des vendredis II et IV ; ou les vers « Tu as frayé le beau tournant / Où

Rendons grâce au Seigneur notre Dieu.

Le programme à réaliser est enfin énoncé par le prêtre dans le troisième membre du dialogue : « Rendons grâce au Seigneur notre Dieu », et le peuple acquiesce par le répons : « Cela est juste et bon. » L'assemblée, prêtre et fidèles, étant ainsi prête à l'action de grâce, celui qui la préside peut alors s'adresser au Père au nom de tous, en poursuivant : « Nous *te* rendons grâce… »

Si l'on entendait cette invitation à rendre grâce, si le prêtre ne la marmonnait pas en cherchant la bonne page dans son missel, si la prière de louange qui suit était (parfois) portée par un accompagnement musical adapté, y aurait-il encore des chrétiens tristes ? Car pour rendre grâce, pour continuer à louer Dieu au fil des jours, des semaines et des années, il faut en savoir la raison, et apprendre à voir le monde avec les yeux d'un saint François. Je prétends que si les assemblées rendaient grâce comme la liturgie nous y invite, les chrétiens ne pourraient pas mourir neurasthéniques !

LA COMMUNAUTÉ ASSEMBLÉE ET L'ÉGLISE

On a abondamment parlé du caractère ecclésial de la liturgie. Mais de quelle Église s'agit-il ? Plus précisément, quelle en est l'extension ?

La liturgie, concrète par nature, privilégie l'Église assemblée pour la célébration ; celle-ci n'existe évidemment pas indépendamment des Églises locales, c'est-à-dire

---

tout au monde n'est que grâce » (L 49) au même office des mercredis II et IV. On le rencontre aussi chez D. Rimaud : « Tournez les yeux vers l'hôte intérieur » (K 79), hymne des vêpres de Pentecôte.

des diocèses, réunis dans la communion de l'Église universelle. Mais l'assemblée n'est pas l'agence locale d'une multinationale ayant son siège à Rome ; si elle est réunie avec son évêque, elle est de façon plénière l'Église de Dieu rassemblée en tel lieu.

L'assemblée est donc une réalité théologique [1]. Il faut les yeux de la foi pour considérer que les frères et les sœurs qui se trouvent là forment effectivement le peuple de Dieu. Et pas un *public !* Le terme est insupportable en liturgie. Il casse l'assemblée en deux, ministres et fidèles, alors que ces deux catégories de chrétiens font toutes deux parties de l'assemblée réunie à l'invitation du Seigneur. Parler du public, c'est transformer les liturges en animateurs, et les chrétiens en spectateurs. Cela reflète parfois la réalité, il faut le reconnaître, mais elle ne correspond pas à la manière dont la liturgie prévoit les relations entre les personnes rassemblées, et leur synergie.

Réciproquement, le terme « célébrant », si courant pour désigner le ministre ordonné, ne lui est pas spécifique. La seconde édition du *Missel romain,* en effet, y a substitué l'expression « prêtre célébrant » chaque fois qu'il s'agissait effectivement du prêtre. Ce qui n'est nullement une cléricalisation, mais la reconnaissance, dans le livre le plus officiel de la messe, que tous les membres de l'assemblée sont célébrants ; si l'on veut désigner le liturge, il faut donc le signaler de manière plus précise.

Le rapport entre l'assemblée locale et l'Église en son extension peut encore s'illustrer par l'analyse des professions de foi alternatives qui ont lieu en certaines célébrations particulières, des confirmations notamment. Ceux qui vont être confirmés se sont préparés à l'événement ; on leur suggère parfois de proposer une rédaction personnelle de la profession de foi qui sera proclamée à la célébration. Quelles sont les implications d'une telle proposition ?

1. C'est sans doute Mgr Martimort qui a le plus contribué à renouveler, dans la seconde moitié du XXe siècle, la théologie de l'assemblée. Trois de ses articles importants sont réunis dans les Mélanges qui lui ont été offerts sous le titre *Mens concordet voci*, p. 193-226.

On souhaite faire réfléchir les jeunes à leur foi, et les mettre au défi, pour ainsi dire, de rédiger eux-mêmes l'engagement qui sera proclamé dans l'assemblée. On favorise ainsi une appropriation personnelle de la foi. Parfait.

Mais que se passe-t-il lors de la célébration ? D'abord, la foi est proclamée avec toutes les limites de la foi consciente du groupe en question. C'est déjà curieux, il faut bien l'avouer. De plus, cet engagement est imposé au reste de l'assemblée ; même si on a eu soin de photocopier le texte et de le remettre à tous les participants, ceux-ci le découvrent au moment même, et ne peuvent que difficilement en faire leur propre adhésion de foi ; ils lisent un papier, ils ne donnent pas leur foi au Seigneur. Ainsi, en voulant privilégier certains, on exclut en fait les autres. On prive aussi les premiers du soutien des seconds, qui devraient pouvoir les entourer dans l'expression de la foi. Enfin, on utilise, pour professer la foi, une formulation occasionnelle, que les jeunes ne retrouveront plus jamais ni en ce lieu ni en une autre assemblée. Il y a rupture avec la tradition chrétienne ; au lieu de leur offrir les mots de la foi ecclésiale et d'ouvrir leur expérience à des dimensions plus grandes, on la fige ; on se donne beaucoup de mal pour une réalisation qui n'a pas d'avenir ; elle n'enracine pas dans l'Église qui existe aussi ailleurs, et qui se rassemblera encore demain.

On le constate, il y a là mélange des genres. On confond foi des jeunes et foi de l'Église. L'objectif de la profession de foi, dans une célébration, n'est pas l'auto-expression, mais l'insertion de tous dans la foi de l'Église. On proclame, dit-on très justement, le « Symbole » de la foi, c'est-à-dire le texte qui *rassemble* les croyants dans la foi ; sa fonction est ecclésiale et unificatrice. Le contenu du texte n'est pas le seul point de vue à prendre en considération.

C'est un des cas les plus nets de confusion entre catéchèse et liturgie, entre préparation et célébration. Le procédé peut être très fructueux en catéchèse, et les jeunes peuvent en tirer un très grand profit. Mais la liturgie est d'un autre ordre. Son sujet est l'assemblée, même lorsqu'on fête la confirmation de certains de ses membres. Autrement dit, c'est toute l'Église qui reconnaît qu'elle vit de l'Esprit et qui célèbre la confirmation, à l'occasion de la confirmation de telle ou tel.

Est-il plus clair, à la fin de ce chapitre, que la liturgie implique une compréhension de l'Église, et des rapports entre le prêtre et les autres chrétiens dans l'assemblée ? Ne le serait-ce pas plus encore si la liturgie pratiquée était parfois plus fidèle à la liturgie prescrite ?

CHAPITRE V

UNE MANIÈRE DE COMPRENDRE LA VIE

La liturgie est pleine de sagesse. Elle véhicule une expérience séculaire de la vie des humains égarés sur la planète Terre. Elle sait — elle ne cache ni ne tait — que la vie connaît naissance et mort, joie et tristesse. En outre elle a appris de Qohélet que rien de tout cela n'est absolu :« Il y a un moment pour tout et un temps pour chaque chose sous le ciel » (Qo 3, 1).

Ainsi, dès le baptême, la liturgie parle de mort, car la vie ne peut en faire l'économie :« Ne savez-vous pas que, baptisés en Christ, c'est dans sa mort que nous avons été baptisés ? » (Rm 6, 3). Le chrétien a donc sa mort derrière lui. La vie chrétienne, inaugurée par le passage dans la mort du Christ, va de la mort à la vie, et non l'inverse. Écoutons le poète :

> *Le Seigneur vous a précédés*
> *Dans la mort qui vous obsédait,*
> *Vos morts futures ;*
> *Allez donc sans crainte à la vie !*
> *Jésus vous a déjà ravi*
> *Dans sa Passion vos sépultures*[1].

À la lecture de ces belles paroles, beaucoup seront tentés de dire : « Oui mais... » Car ce qu'on ressent le plus habituellement n'est-il pas, au contraire, l'écart entre nos

1. *Comme nous allions rêvant Dieu*, hymne pascale ; *Liturgie des heures*, t. II, p. 390-391 ; *Prière du temps présent*, p. 342 (Patrice de La Tour du Pin).

préoccupations et ce qu'on entend dans les églises ? La liturgie paraît loin de la vie, extérieure à nous-mêmes, au point que l'on sort parfois en se disant : « Mais de quoi parle-t-on ? Où suis-je tombé ? »

Pourquoi cette impression ? Pourquoi les débats sur liturgie et vie ? Ils ne proviennent pas de l'idée que la liturgie n'aurait rien à voir avec la vie des gens, sans quoi on ne perdrait plus son temps à ces balivernes. Ils naissent de la conviction contraire, fondée d'ailleurs sur l'expérience ressentie une fois ou l'autre, lors d'une célébration particulièrement prenante, que la liturgie recèle des énergies vitales insoupçonnées. Mais cette conviction est parfois mise à mal, et l'expérience heureuse parfois démentie.

L'impression d'un fossé entre la liturgie et l'existence provient, à mes yeux, d'une mauvaise articulation entre les deux termes, entre ce qu'on aimerait crier ou chanter, et ce que certains du moins se trouvent obligés de faire « pour que ce soit valide ». Les exemples abondent. Les plus banals sont les lectures enfilées les unes derrière les autres, celle du psaume y compris, d'une manière telle qu'il est bien sûr qu'elles ne peuvent avoir d'intérêt pour personne. Ou la prière eucharistique bâclée, marmonnée, expédiée sans que personne puisse se rendre compte qu'il s'agit, en fait, d'élever son cœur vers Dieu pour lui rendre grâces.

Autrefois, au temps du latin, la question se résolvait autrement : je pouvais crier ou chanter dans mon cœur, pendant que le prêtre « disait sa messe », et que ma voisine était, elle aussi, absorbée dans ses méditations. Chacun « priait », disait-on. On a déjà relevé l'ambiguïté de cette expression.

J'ai parlé de mauvaise articulation. C'est là que le bât blesse. Car il ne s'agit de supprimer ni la vie ni la liturgie ! Il faut trouver la manière de les ajuster. Pour cela, il existe en principe deux voies. Ou on part de la vie, et elle acquiert des dimensions inespérées en se trouvant liée à celle du Christ[1]. Ou on part de la liturgie et de la vie du Christ, qui

1. Rappelons-nous la parole de l'hymne de carême : « Vos corps à son corps sont branchés : Prenez à lui d'être lumière » (D. Rimaud, G 184).

nous révèlent des dimensions insoupçonnées de l'existence. Les deux voies sont légitimes. On aimerait que les diverses communautés n'empruntent pas toujours la même, et s'essayent à la variété. La liturgie le fait d'ailleurs aussi, car son point de départ n'est pas toujours identique. Examinons les deux pistes.

PRIORITÉ À LA VIE

Je ne commence pas par elle pour varier, après avoir déjà tant parlé de la liturgie. La vie est première. Aurait-on inventé la liturgie si ce n'était pour qu'elle donne saveur à l'existence et lui fasse acquérir toute son amplitude ? *Sacramenta propter homines*, entend-on répéter dans les cours de théologie, et c'est vrai : les sacrements sont destinés aux hommes, même s'ils viennent de Dieu.

Existe-t-il des célébrations liturgiques qui partent de la vie ? Oui. On peut les appeler les « célébrations de destinée ». Elles naissent des événements personnels, ceux de ma propre vie ou de celles d'autres personnes, comme les baptêmes, les mariages, les enterrements. Jadis d'ailleurs mariages et funérailles étaient des célébrations familiales, auxquelles le prêtre était invité pour bénir les époux ou le corps de la personne décédée. Ce peuvent être aussi des célébrations à l'occasion d'un anniversaire, ou d'un départ à la retraite, d'une grande joie ou d'une calamité qui touche profondément une communauté humaine.

Célébrer l'onction des malades pour quelqu'un qui le désire et que l'on connaît bien, avec des personnes de son entourage qui ont quelque peu préparé la célébration, ce peut être une grande joie, et une véritable fête des cœurs. L'espérance se fait plus tangible, portée qu'elle est par tous les participants ; la peur de la mort s'amenuise, partagée elle aussi par les personnes présentes ; le désir de Dieu peut grandir, et une joie profonde envahir les cœurs.

Ce n'est pas toujours aussi idyllique. Mais à vrai dire ce sont des célébrations assez faciles à réaliser, dans la mesure où les circonstances s'imposent et où les participants ont eu l'occasion de s'« habiller le cœur », comme le disait au petit prince son ami le renard[1]. Les livres liturgiques connaissent ces célébrations de destinée et les prennent en compte. Ils prévoient pour elles un large éventail de possibilités, destinées à correspondre au mieux à la particularité de l'événement. Le rituel des funérailles, par exemple, ne compte pas moins de vingt-deux oraisons d'ouverture, selon qu'il s'agisse de quelqu'un qui est mort subitement ou après une longue maladie, d'un jeune ou d'une personne handicapée. Le lectionnaire des défunts, pour sa part, forme un volume de cent vingt-sept pages ! Les matériaux existent donc, en surabondance. Grâce à eux, des événements, tristes ou joyeux, peuvent assez aisément être portés dans la prière. Le Missel lui-même comprend quarante-six formulaires de messes pour circonstances diverses ; elles vont de l'unité des chrétiens à une réunion d'ordre spirituel ou pastoral, des responsables politiques à la prière pour la paix et la justice, sans oublier le début de l'année, ainsi que les proches et les amis. Les livres liturgiques ne prévoient rien, il est vrai, pour des événements comme un passage à la retraite ou plus banalement une fin d'année ; des matériaux existent cependant, susceptibles d'aider à préparer de telles célébrations[2].

Cette première piste susceptible de réconcilier liturgie et vie existe donc bel et bien ; elle se pratique quotidienne-

1. A. DE SAINT-EXUPÉRY, *Le Petit Prince,* Paris, Gallimard, 1946, p. 69-70. Voici le passage : « Le lendemain revint le petit prince. Il eût mieux valu revenir à la même heure, dit le renard. Si tu viens, par exemple, à quatre heures de l'après-midi, dès trois heures je commencerai d'être heureux. Plus l'heure avance, plus je me sentirai heureux. À quatre heures, déjà, je m'agiterai et m'inquiéterai ; je découvrirai le prix du bonheur ! Mais si tu viens n'importe quand, je ne saurai jamais à quelle heure m'habiller le cœur... Il faut des rites. »

2. On songe notamment à *La Bible de la liturgie,* Paris, Brepols, 1993. Son volume de tables comprend, outre la référence des lectures des messes pour circonstances diverses, des tables par mots clés, très utiles pour la préparation de célébrations de ce genre.

ment. On peut cependant avoir l'impression qu'elle ne répond pas de manière pleinement satisfaisante au problème posé. D'une part parce que lors de telles célébrations de destinée, on assiste parfois à des distorsions flagrantes. Oserais-je dire qu'à ce moment elles ne relèvent que d'une mauvaise mise en œuvre, due à l'incompétence du liturge, à un manque de préparation, ou à la difficulté plus fondamentale d'assumer effectivement l'événement dans une perspective évangélique ? D'autre part, on peut avoir le sentiment que les célébrations de destinée, si elles sont liturgiques à part entière, et même sacramentelles pour certaines, ne forment pas le cœur de la liturgie, constitué par les assemblées du dimanche et par les grandes fêtes de l'année liturgique. Il faut reconnaître que l'objection est fondée. Signalons enfin une limite de ce type de célébration ; elles réunissent le plus normalement des personnes directement concernées par l'événement ; de ce fait, elles sont moins ouvertes au tout-venant et, en ce sens, moins ecclésiales.

UNE LAMPE SUR LA ROUTE

Les célébrations liturgiques majeures se présentent à nous dans leur objectivité ; le dimanche nous arrive sans que nous l'ayons demandé, et Pâques aussi. C'est le principe même de l'année liturgique : ses fêtes, celles du Seigneur comme celles des saints, nous adviennent, indépendamment des conditions personnelles de nos existences. Sont-elles pour autant en dehors de la vie ?

Répondre positivement reviendrait à dire que tous les événements de ce qu'on appelle l'actualité, présentée quotidiennement par la radio et la télévision, s'écoulent « en dehors de la vie ». L'objection fait d'emblée apparaître les limites du terme « vie », en la circonstance, et invite à lui donner des dimensions plus larges. Car notre vie ne se déroule pas seulement selon l'évolution subjective de nos sentiments ; elle est également conditionnée par des événements extérieurs qui nous touchent de plus ou moins près, comme la mort de nos proches, la réussite ou la faillite de l'entreprise qui nous emploie, sans parler de la crise économique à rebondissement et des guerres fratricides.

La question se pose donc en termes quelque peu différents. Comment intégrer cette objectivité liturgique dans nos existences ? Comment les en nourrir ? Il y faut une disposition fondamentale de bienveillance et d'ouverture, à moduler de trois façons.

L'exigence première est un a priori favorable, et une attitude d'écoute. On ne se déplace pas pour voir une exposition, avec le risque de devoir faire la queue, si l'on n'attend rien des tableaux ou des objets qui sont présentés. Ce qui motive le déplacement, c'est l'espoir d'un plaisir esthétique, d'une découverte, d'une émotion. Inutile d'aller à la liturgie, même à la veillée pascale, si on n'en espère rien.

Prenons l'exemple des lectures, qui effectivement sont parfois difficiles à entendre, étant donné le genre littéraire dans lequel elles s'expriment. Ce qu'il faut chercher, c'est l'expérience humaine qui porte le texte. Car la paresse est une constante si sûre, au long des siècles, que jamais personne n'a pris la parole, certainement pas la plume, sans être mû par une expérience forte, ou illuminé par une conviction profonde, comme une révélation à communiquer sans retard. C'est cette vibration-là qu'il faut entendre et rejoindre, même si elle n'est pas immédiatement la nôtre, en vue de bénéficier des recettes de vie que recèle l'Écriture. L'art de l'homélie ne consiste-t-il pas d'ailleurs à mettre en relief ces ressorts, et à nous en communiquer le dynamisme ?

Avec une telle attente envers la Parole de Dieu, on ne tardera pas à en découvrir les perles ; comme le psalmiste, on éprouvera que

les décisions du Seigneur sont justes
et vraiment équitables ;
plus désirables que l'or,
qu'une masse d'or fin,
plus savoureuses que le miel
qui coule des rayons. [Ps 18, 10b-11.]

La deuxième manière dont la célébration liturgique vivifie notre existence est bien différente. Elle nous fait retrouver une assemblée, éventuellement une communauté [1], en tout cas des hommes et des femmes qui, comme nous, viennent entendre la Parole de Dieu, tenter de lui rendre grâces et risquer de communier. Car la liturgie n'est pas un passe-temps individuel, elle est une activité communautaire. Dans la liturgie, on peut prendre appui sur les autres : sur leur présence, sur leur prière, éventuellement sur leur amitié. On le perçoit fortement lorsqu'au retour des vacances on retrouve son assemblée habituelle, ou lorsqu'on participe à l'Office dans une abbaye : il s'en dégage une impression de solidarité dans la prière, le chœur des moines prenant à bras-le-corps la peine des hommes, et partageant leur allégresse. Il n'est pas banal non plus que l'Office monastique se termine par l'invocation : « Prions pour nos frères absents » ; certains peuvent avoir de bonnes raisons de ne pas y être ; d'autres, peut-être, en éprouvent aujourd'hui un grand dégoût ; mais tous sont présents dans la solidarité de la communauté. N'est-ce pas cela l'Église, et sa prière ?

Le dernier mouvement nécessaire pour que la liturgie éclaire nos existences consiste à laisser rejaillir sur elles ce qu'on a vu et entendu, ce qu'on a accompli, et demandé dans la prière. Une sorte de logique, de cohérence, de fidélité, pour que les Béatitudes entendues nous rendent

1. Étant donné les résonances affectives du terme « communauté », il vaut mieux distinguer les deux mots. L'assemblée désigne les personnes réunies pour une célébration liturgique, quelles que soient leurs relations mutuelles. Une communauté évoque le plus souvent un groupe dont les personnes se connaissent et s'entraident.

effectivement plus heureux, et miséricordieux ; que l'action de grâce nous incite à chanter Dieu ; que la communion reçue nous fasse demeurer en lui et vivre solidaires. C'est ici principalement qu'on perçoit l'intérêt et le bénéfice qu'il y a à fréquenter la liturgie : elle ouvre notre vie sur plus grand qu'elle-même, elle l'alimente et la mène vers une transcendance, tout au moins, sinon vers le Père. Elle offre, selon les mots du psaume à propos de la Parole de Dieu, « la lumière de mes pas, la lampe de ma route » (Ps 118, 105).

Liturgie et prière personnelle.

S'exprimer ainsi, c'est reconnaître que la liturgie n'est pas d'abord une prière individuelle, ni même personnelle. On l'a vu au chapitre IV : elle est bâtie comme la prière d'un groupe, d'une assemblée, de l'Église. Elle est la prière de l'humanité, oserait-on dire, si l'on ne risquait pas, ce disant, d'englober indûment ceux et celles qui ne se reconnaissent pas chrétiens.

La différence entre la prière personnelle et la prière liturgique ne tient aucunement à sa qualité, à son intensité, à sa ferveur, ni même à ses répercussions en mon existence. Elle provient de ses modalités. La liturgie est par définition l'activité d'une assemblée, à l'intérieur de laquelle s'insère ma prière personnelle. C'est vrai même de la prière des heures, que tant de personnes disent seules, mais non en solitaires ; la récitation « privée » reste en principe une exception, même si statistiquement le cas est fréquent. La prière personnelle, en d'autres termes, peut être immédiatement axée sur mes préoccupations et sur mes espérances, même s'il est souhaitable qu'elle débouche sur la rencontre de Dieu. La prière liturgique ne part habituellement pas de là, et c'est sans doute la cause des difficultés. Il lui arrive, alors que j'ai envie de danser, de me faire dire : « Pitié pour moi, mon Dieu, dans ton amour... Oui, je connais mon péché, ma faute est toujours devant moi » (Ps 50,

1.5) ; mais elle met aussi sur mes lèvres les louanges du psaume 150 quand je ne serais capable que de pleurer. Dira-t-on que cela me tombe du ciel, et ne rejoint pas ma vie ?

Mais n'est-ce pas là précisément un des intérêts de la liturgie, et sa force, cette ouverture que « le ciel » va opérer dans ma vie ? Même si j'ai droit à mon petit jardin secret, je ne suis pas seul sur la terre, heureusement. La liturgie nous fait tendre la main aux autres, « nous réjouir avec ceux qui sont dans la joie, pleurer avec ceux qui pleurent » (Rm 12, 15), et partager « le souci de toutes les Églises » (2 Co 11, 28). La date de mon anniversaire, je ne la choisis pas non plus, ni celle du mariage des amis ou du décès de ma voisine. Ni celle de Pâques. Grâce aux autres et à Dieu, des choses m'adviennent qui élargissent mes horizons ; elles peuvent rejoindre mes sentiments du moment et les amplifier, ou attirer mon attention sur d'autres personnes, me faire partager d'autres réalités, qui appartiennent tout autant à « la vie ».

Les fêtes sont donc là pour nous sortir du quotidien. Plus exactement, elles proclament ce que notre quotidien peut devenir au contact de la vie de Jésus, de Marie ou des apôtres, de Benoît ou de Claire. Elles sont proposées à notre vie pour nous mener plus loin. Libre à nous...

Le dimanche.

À réfléchir ainsi sur les relations entre la liturgie et l'existence, on se rend compte que les célébrations les plus exigeantes sont bien celles du dimanche, singulièrement celles des « dimanches ordinaires », qui ne se présentent ni comme de grandes fêtes ni en relation directe avec les circonstances de nos vies. Elles ne s'expliquent que dans la foi, je veux dire qu'apparemment il n'y a aucun avantage à s'y rendre, et qu'aucune circonstance ne nous y pousse. C'est peut-être pour cela qu'on y voit moins de monde.

Comment faire, le dimanche ? D'abord rappeler, à temps

et à contretemps, que tel est bien le statut du dimanche, et qu'il ne faut donc pas en attendre autre chose. Vouloir en faire chaque fois une fête peut être un projet romantique ; il apparaît bien vite comme une impasse. On ne va à la messe le dimanche ni par obligation ni par envie, celle-ci étant symétrique de celle-là, située sur le même plan individuel. La seule raison de se rendre à l'église le dimanche, c'est l'invitation qui nous est adressée. Le Seigneur nous y attend, de même que les membres de la communauté chrétienne qui comptent peut-être sur nous, au moins sur notre présence.

Comment faire, pour vivre heureusement l'eucharistie dominicale ? Y aller, d'abord, et là est bien l'essentiel. Le chrétien peut se définir comme un être qui, le dimanche, se lève une heure plus tôt ; « se lever », dans le Nouveau Testament, est le verbe de la Résurrection ! Y venir libre, dégagé, disponible, s'il est possible, prêt à entendre du neuf ou à retrouver avec plaisir une lecture ou un chant de son *Musée imaginaire*. Gratuitement. Pour planter, au cœur de nos existences, la croix et la Résurrection. « Tenons en éveil la mémoire du Seigneur ; gardons au cœur le souvenir de ses merveilles[1] ! »

On peut le proclamer sans ambages, en conclusion de la première partie de ce chapitre : si la liturgie n'éveille en nous aucun écho, si elle ne rejoint aucune fibre de notre existence, elle risque bien de n'être pas chrétienne. Car le Dieu des chrétiens est « Notre Père ». Un culte de Dieu qui ne ferait pas vivre ses enfants serait idolâtrique. « La gloire de Dieu, c'est l'homme vivant », a dit splendidement Irénée[2], commentant la parole de Jésus en saint Jean : « Ce qui glorifie mon Père, c'est que vous produisiez du fruit en abondance » (Jn 15, 8).

1. D. Rimaud, C 243.

2. Irénée de Lyon, *Contre les hérésies*, IV, 20, 7, éd. A. Rousseau, « Sources chrétiennes », 100, p. 649 ; Liturgie des heures, lecture pour la fête de saint Irénée, le 28 juin.

LA LITURGIE EN TRAVAIL

Cependant, même dans les célébrations de destinée, la liturgie nous travaille. Jamais elle ne se contente de nous offrir une plage pour nous exprimer. Cet aspect mérite d'être développé, car d'habitude on ne perçoit pas suffisamment à quel point la liturgie nous prend pour nous tirer en avant. Liturgie et vie ne sont pas seulement à harmoniser ; un rude combat s'instaure parfois entre elles. Examinons-en quelques exemples.

La profession de foi baptismale.

Au cœur du baptême, on en a déjà parlé, retentit la profession de foi. Sa particularité consiste à offrir une structure double, car avant de répondre oui aux questions sur la foi au Père, au Christ et à l'Esprit, une renonciation est demandée. Beaucoup s'en offusquent, estimant qu'elle est déplacée, dans ce cadre. Pour des adultes, soit ; mais pour un bébé !

L'objection contient une part de vérité ; théologiquement, le modèle du baptême est le baptême d'adultes. Il est vrai que lorsque des jeunes ou des adultes qui demandent le baptême répondent lucidement non et oui aux questions qui leur sont adressées, ces monosyllabes acquièrent un poids de vie extraordinaire.

Mais lors du baptême d'un petit enfant, à qui s'adressent les questions ? Depuis 1969, le prêtre les pose aux parents. L'opinion n'a pas encore intégré cette modification profonde du rituel, qui ruine la plupart des objections que l'on entend à propos du baptême des petits enfants. Le Concile a en effet décidé ceci :

> On révisera le rite pour le baptême des petits enfants et on l'adaptera à la situation réelle des tout-petits ; en outre,

> le rôle des parents et des parrains, ainsi que leurs devoirs, seront mieux mis en évidence dans le rite lui-même [constitution sur la liturgie, n° 67].

En fait, la seconde proposition découle de la première. Car on n'a jamais vu un bébé demander lui-même le baptême ! « Adapter le rituel à la situation réelle des tout-petits » consiste paradoxalement à s'adresser aux parents : ce sont eux qui demandent le baptême, ce sont donc eux aussi qui professent la foi. La renonciation leur est demandée à l'occasion du baptême de leur enfant, mais ce sont eux-mêmes qui y répondent, et non le bébé. Demander le baptême de son enfant, mais ne pas vouloir professer soi-même la foi se révèle donc illogique, même si c'est fréquent. Ce genre de réaction manifeste seulement que certaines personnes se considèrent comme spectateurs d'un rite accompli en faveur du bébé, plutôt que comme participants personnels à la célébration du baptême.

Pourquoi cette profession de foi baptismale en non et oui ? D'abord parce que le oui au Christ suppose symétriquement un non à ce qui s'oppose à lui. Encore une fois, c'est logique ! Et cela montre bien que la renonciation ne se situe pas sur le plan moral, comme si on incitait à « faire un petit effort » à l'occasion du baptême de l'enfant. La structure double veut montrer que tout n'est pas compatible ; choisir le Christ et l'Évangile, c'est s'orienter dans une voie qui en exclut d'autres, malgré le désir de nos contemporains de goûter à toutes les expériences. On le comprendra mieux si l'on fait voir qu'on ne peut être à la fois chrétien et musulman. La voie choisie, en outre, n'est pas un carcan ! Peu avant, dans la célébration, en reprenant un geste de Jésus lui-même (Mc 7, 31-37), le ministre a touché la bouche et les oreilles des baptisés et leur a dit : « *Effetah* » (c'est-à-dire : Ouvre-toi). Quel plus beau symbole de la vie chrétienne ?

L'existence d'une renonciation, au centre même du baptême, évite en outre de le réduire à une fête familiale qui requiert la présence d'un prêtre. Je dis bien « réduire », car il est très heureux que le baptême soit aussi une fête familiale ; mais parfois la confusion s'installe dans les priorités. Évoquer le mal et la mort dérange dans la mesure où l'on croit que la joie baptismale provient du rassemblement autour du bébé mignon. Évitons les méprises.

La présence de la renonciation pourrait bien être, de plus, un signe de sagesse. Car la vie, même celle de ce nouveau-né, n'est pas limitée à la joie de la naissance, à l'innocence de l'enfance, à la chaleur du cocon familial. La liturgie le sait, et ne tient pas à le cacher. Elle pourrait même se révéler plus réaliste que les objections de rejet ; elle n'enferme pas l'enfant dans sa condition présente, mais lui ouvre un avenir. Surtout, elle n'évoque pas le mal et le péché pour l'y enfermer, mais pour proclamer la victoire du Christ et du chrétien sur eux. Elle fournit donc une raison beaucoup plus profonde de se réjouir ! Non pas frileuse mise à l'abri, mais ouverture victorieuse.

Enfin, il est capital, dans la vie, de pouvoir choisir. Choisir, en confirmant nos engagements précédents, en les confortant. Comme aimer, un jour, signifie aussi vouloir aimer. La liturgie nous invite à ce choix dès notre baptême. Elle le fait aussi à chaque célébration de baptême à laquelle nous participons, où nous pouvons reprendre à nouveaux frais nos engagements baptismaux. Elle le fait encore à chaque vigile pascale, où nous sommes tous invités à faire de même, les uns avec les autres.

La confirmation par l'évêque.

Autre petit exemple de la sagesse existentielle de la liturgie : la confirmation est présidée, normalement, par l'évêque. Est-ce parce que le prêtre ne le peut pas ? Ou parce que l'évêque a plus de pouvoir ? Libre à chacun d'exprimer les choses de cette manière, mais il faut reconnaître que si ces formulations sont claires, elles ne sont guère signifiantes.

Pourquoi l'évêque ? Parce que devenir chrétien, c'est

s'ouvrir. Dès l'*Effetah* du baptême. Mais plus encore en rencontrant, au cours de l'initiation chrétienne, l'évêque du diocèse qui vient ouvrir la communauté au sein de laquelle j'ai grandi jusqu'ici. Le souffle de l'Esprit fait sauter les ghettos. Sans quoi la communion eucharistique risque à nouveau d'être frileuse ou de se confondre avec quelque cocooning. Pourquoi devoir faire appel à quelqu'un que l'on ne connaît pas, entend-on dire ? Ce serait peut-être une bonne occasion de faire connaissance. Mais surtout le rôle de l'évêque, à la confirmation notamment, est de contribuer à la communion des Églises, et non à leur enfermement. Heureusement qu'il faut parfois faire appel à des gens de l'extérieur ; ils peuvent apporter de l'air frais. On comprend, dans cet esprit, que si le curé de la paroisse est délégué par l'évêque pour confirmer, il vaut sans doute mieux qu'il ne le fasse pas dans sa propre paroisse.

Oser pardonner.

Le sacrement du pardon est en mauvaise santé. Certains chrétiens estiment que c'est une bonne chose : ils se trouvent libérés de ce passage culpabilisant sous les fourches caudines.

Très bien par rapport aux mauvais souvenirs d'antan, et à la pastorale de la peur qui a trop longtemps remplacé l'annonce de la miséricorde. Mais il faut aussi regarder l'objectivité des choses. Il n'existe souvent plus, dans notre Église, de signe du pardon. Et que dire du reste de la société ? Il y a là une perte sociale. Qu'elle fasse le succès des psychanalystes, tant mieux pour eux. Ce qui est grave, c'est que l'Église, chargée d'annoncer la miséricorde de Dieu et le pardon du Christ, ne trouve plus les formes heureuses de cette proclamation et de sa réalisation sacramentelle. Des catéchumènes, venant à l'Église demander le baptême, entendent pour la première fois parler de ces valeurs, qui ont disparu de la culture ambiante. Ce vide entraîne aussi la banalisation de la communion eucharistique ; on a perdu la mémoire d'une réconciliation préalable, lorsque effectivement on a rompu les ponts.

Or ces réalités de la faute et du péché, de la miséricorde et du pardon sont trop prégnantes pour être rangées dans l'armoire des antiquités. Anthropologiquement comme évangéliquement, il est malsain de les négliger. On voit ici le rôle social sinon culturel que joue la liturgie, qui donne à voir. Or qu'advient-il, quand on ne voit plus que le pardon est possible ? Un sursaut se dessine-t-il aujourd'hui [1] ?

Des malades, dans la communauté.

L'onction des malades n'est plus l'extrême-onction. Le dernier Concile en a rectifié la compréhension ; du sacrement des mourants, on est passé à celui des malades (graves). La constitution conciliaire s'exprime ainsi :

> L'« extrême-onction », qu'on appelle aussi et mieux l'« onction des malades », n'est pas seulement le sacrement de ceux qui se trouvent à toute extrémité. Aussi, le temps opportun pour le recevoir est déjà certainement arrivé lorsque le fidèle commence à être en danger de mort par suite d'affaiblissement physique ou de vieillissement [n° 73].

Pourquoi ce sacrement? Un passeport pour le ciel? Comme si Dieu avait besoin de papiers ! L'onction est bien plus douce. Elle est l'expression de la tendresse de Dieu pour les malades. Pour ceux qui, malgré les soins médicaux, voient la vie leur échapper, n'ont plus d'espoir, cumulent souffrance physique et abandon moral. On serait tenté de dire qu'ils le méritent bien.

Célébrer l'onction a donc force attestatoire ; elle pro-

1. On peut en prendre à témoin une série de publications sur le pardon, par exemple celle des Éditions Autrement, *Le Pardon. Briser la dette et l'oubli*, Paris, 1991. D'autre part, L.-M. Chauvet et moi avons réuni une série d'études sur ce sacrement, dans le but de relancer le débat (*Le Sacrement du pardon. Entre hier et demain*, Paris, Desclée, 1993).

clame que les malades sont des citoyens à part entière, qu'aux yeux de Dieu ils ne sont pas gens de seconde zone, et qu'ils ont leur place dans la communauté. La célébration a aussi force contestatrice ; elle s'oppose à l'exclusion des malades, à leur réduction au rang d'« inactifs », et plus généralement à la priorité économique de la société. « Dieu ne fait pas acception des personnes », dit la Bible ; l'homme vaut pour lui de par son humanité, qu'il soit riche ou pauvre, bien-portant ou à la mort.

La célébration de l'onction se fait pour les malades, bien sûr, mais aussi avec eux. Car il est illogique de célébrer l'onction sans leur faire une place dans la communauté. Comme pour la confirmation, on agit trop souvent de manière paternaliste ; on se dépense éventuellement à corps perdu pour les jeunes ou pour les malades, sans se rendre compte qu'il s'agit aussi de devenir partenaires. Un sacrement concerne toujours l'Église entière, dont il met en relief une dimension. Grâce aux jeunes, on célèbre la confirmation de l'Église. Grâce aux malades, on proclame la tendresse de Dieu pour tous les laissés-pour-compte. Il faut absolument penser à faire retentir l'expérience des malades dans la communauté.

CONCLUSION

Voilà quelques exemples du réalisme de la liturgie, de son bon sens, de son expérience séculaire de la vie des hommes. Elle connaît les dimensions du cœur de l'homme, et ses troubles. Elle les assume, et leur ouvre un chemin. On aurait pu le montrer encore à partir des funérailles, dont on a parlé dans le chapitre sur les dimensions théologiques de la liturgie.

Comment dès lors articuler expérience humaine et liturgie ? L'attitude première, on l'aura compris en ce chapitre comme dans les précédents, sera d'entendre et d'écouter, pour s'ouvrir à des dimensions plus vastes que celles de sa propre existence : celles de l'humanité, celles surtout du mystère de la foi. Cette attitude permettra d'amplifier l'expérience, de l'enrichir, de la personnaliser même, et d'ajuster finement les désirs de son cœur aux données liturgiques.

Dans les célébrations de destinée, la part personnelle sera bien sûr plus grande. Elle viendra mettre de la chair et du sang sur les canevas liturgiques. Lors des funérailles, notamment, on entend souvent résonner tel ou tel aspect de la vie du défunt, parfois même une musique qu'il aimait, ou simplement un souvenir ; dans ce contexte, pareilles interventions sont le plus souvent reçues avec respect, dans la mesure où elles sonnent juste.

La voie, en d'autres termes, est celle qu'ouvre la poésie. Le poème est un cri ou une chanson qui sort des données personnelles de la vie d'un homme, mais qui rejoint l'humanité de manière telle que tout le monde s'y retrouve, ou presque. Les traits les plus personnels rejoignent l'universel, à l'opposé de la banalité généralisante. L'acte liturgique est toujours une création, car, en son unicité, il n'a jamais existé auparavant. Il n'exige cependant pas que tous les textes soient chaque fois nouveaux ; en ce sens, il est plutôt une re-création, une manière de re-présenter des données humainement si profondes qu'elles peuvent rejoindre l'expérience d'un chacun. Écoutons Didier Rimaud : « L'acte de la liturgie devrait toujours être non pas l'exécution d'un donné mais une re-création à partir de ce donné, même si tous les éléments qui constituent cette liturgie ne sont pas des éléments créés aujourd'hui et ici, pour aujourd'hui et pour ici. La véritable créativité du prêtre s'exerce dans l'acte même de la liturgie, et non quand il compose à sa table de travail un texte nouveau. La liturgie n'est pas d'abord un texte, pas plus que la musique n'est d'abord une partition. Ce qui compte, c'est la manière dont la partition est utilisée par le musicien qui veut faire de la musique pour lui et pour son public. Chaque fois, la musique est recréée. Ce qui compte en liturgie, c'est la manière dont le texte liturgique est utilisé par le prêtre ou le ministre qui sont chargés de prier et de faire prier un peuple. Chaque fois la prière devrait être recréée. Et pourtant le musicien joue bien la partition[1]... »

1. D. RIMAUD, « Faut-il créer dans la liturgie ? », *La Maison-Dieu*, 97, 1969-1, p. 95-103 (ici p. 102-103).

CHAPITRE VI

LITURGIE ET CULTURE

La liturgie est un système de représentations. Elle se trouve donc par définition enracinée dans des cultures auxquelles elle emprunte une langue, une musique, une architecture, des moyens d'expression. On a vu au chapitre III qu'il existait diverses familles liturgiques, qui se différencient notamment par les cultures au sein desquelles elles se sont développées. Le problème de l'adaptation de la liturgie aux cultures, en Afrique particulièrement, dans le tiers-monde et même en Europe, sera l'un des grands défis du siècle prochain.

Ce chapitre voudrait montrer l'intérêt culturel de la liturgie. On verra que celle-ci est une source extraordinaire de culture. Mais elle recèle aussi une intelligence de la culture, une manière d'y plonger ses participants pour qu'ils la goûtent et se l'approprient ; comme toute tradition vivante, la liturgie constitue une forme d'apprentissage culturel.

LA LITURGIE, CRÉATRICE DE CULTURE

On connaît l'image du moine travaillant dans son *scriptorium* à recopier des manuscrits. Image d'Épinal, peut-être, mais qui n'en évoque pas moins une réalité incontestable. Les moines ont recopié, durant tout le Moyen Âge, non seulement la Bible et les Pères, mais aussi l'*Énéide* et les *Odes* d'Horace ; tout ce qui nous est parvenu des œuvres de l'Antiquité, c'est à eux que nous le devons ; ce n'est pas une mince dette.

Tout au long de son histoire, l'Église a joué le rôle de commanditaire d'œuvres d'art ; des poètes ont créé des textes, des musiciens ont composé des mélodies, des architectes ont lancé les plans des cathédrales, des orfèvres ont dessiné des calices et autres châsses. On n'imagine pas, le plus communément, les multiples composantes d'une action liturgique, qui ont fait naître tant de beauté. On ne songe habituellement qu'aux textes — signe, encore une fois, de notre rationalisme spontané. Mais les lieux ! Chartres, que je sache, est une cathédrale, c'est-à-dire un monument bâti principalement pour y recevoir l'assemblée chrétienne ; on peut l'étudier dans son architecture, sa sculpture, ses vitraux, mais aussi dans ce qu'elle évoque de la liturgie qu'on y célébrait. En étudiant le plan des églises, on peut écrire toute une histoire de l'ecclésiologie, c'est-à-dire des représentations que l'on se fait de l'Église, tant il est vrai que les rapports sont étroits entre la conception du bâtiment et l'idée que l'on a de la nature du groupe qui s'y rassemble [1].

Il en va de même de la liturgie ; elle ne se célèbre pas de manière identique dans les maisons des chrétiens ou sur la tombe des martyrs, dans les basiliques romaines ou à Sainte-Sophie de Constantinople, dans une église romane de Charente ou dans une cathédrale gothique.

Ce qui est vrai des lieux l'est aussi des livres. Ils ne se contentent pas d'être des recueils de prières et de prescriptions, simples *vade-mecum* pour liturges encore peu assurés. La plupart des livres liturgiques, surtout les

1. Ce qui était déjà vrai de la synagogue. Voir P.-M. Gy, « Eucharistie et *Ecclesia* dans le premier vocabulaire de la liturgie chrétienne », *La Maison-Dieu*, 130, 1977-2, p. 19-34 ; repris dans son livre *La Liturgie dans l'histoire*, Paris, coll. « Liturgie », 2, Éd. du Cerf, 1990, p. 41-57.

évangéliaires, ont été enluminés ; ces œuvres, qui font la fierté des bibliothèques, la richesse des trésors de cathédrales et le plaisir des iconographes, ont également un puissant intérêt pour la liturgie ; leurs peintures permettent parfois de voir la manière dont le culte, décrit dans le livre, était effectivement réalisé [1].

La liturgie, ce sont aussi des objets : calices, ciboires, aiguières, ostensoirs, encensoirs, etc. Et des vêtements : dalmatiques, chasubles, chapes, tous ornements souvent brodés finement et décorés. Sans parler des tapisseries qui parfois ornaient les lieux de culte.

Et la peinture ! Un nombre incalculable de tableaux reproduisent des thèmes bibliques. Mais il en est de très nombreux consacrés aux scènes liturgiques : la messe — et particulièrement l'élévation —, des processions, les sept sacrements [2]. L'acte le plus fréquemment représenté est probablement « l'institution de l'eucharistie », à la dernière Cène ; événement biblique mais acte originaire de la messe et porteur de théologie eucharistique [3] ; tout le monde connaît *La Cène* de Léonard de Vinci, si répandue qu'une grande marque d'eau minérale a reproduit récemment une cène analogue pour en faire sa publicité, avec comme légende une autre phrase liturgique : « Sur la terre comme au ciel [4]. »

1. E. Palazzo, « L'Illustration de l'évangéliaire au haut Moyen Âge », *La Maison-Dieu*, 176, 1988-4, p. 67-80.

2. On connaît l'admirable tableau de R. Vander Weyden, ou de la Pasture, actuellement au Musée royal des Beaux-Arts d'Anvers, dont les diverses scènes ont été reproduites dans la lettre du cardinal Danneels, *Le Jardin des sept sources*, Noël 1993. D'autres œuvres ont illustré le thème des sept sacrements ; il vaudrait la peine d'y consacrer une recherche à la fois iconographique et théologique, montrant la compréhension des sacrements qu'elles reflètent (ne fût-ce que par leur ordre de succession) ; ce serait un apport à l'histoire de la catéchèse de l'époque.

3. D. Rigaux, *À la table du Seigneur. L'eucharistie chez les primitifs italiens : 1250-1497*, Paris, Éd. du Cerf, coll. « Cerf-Histoire », 1989. Ce livre pénétrant est pris ici à témoin de l'intérêt de plus en plus grand des iconographes pour les scènes liturgiques, matériaux importants de l'histoire des mentalités.

4. Je ne me prononce ici ni sur le bon goût de cette publicité ni sur son efficacité économique ; je constate seulement que des professionnels de la communication estiment que la Cène fait suffisamment partie de la culture occidentale pour en faire le support de leur message. De même pour la phrase du *Notre Père*.

Que dire alors de la musique ? Si l'on retire les œuvres religieuses de ce qui nous a été transmis de la musique médiévale, et même de ce qu'on nomme aujourd'hui la musique baroque, que reste-t-il ? N'est-ce pas la liturgie qui, de dimanche en dimanche, a suscité les cantates de Bach ?

Dans une tradition vivante.

Quelle que soit donc la forme d'art que l'on considère, on est amené à constater que chacune a apporté sa pierre à la réalisation des actions liturgiques. Celles-ci, destinées à créer la paix des cœurs et à évoquer la jouissance de Dieu, ne peuvent évidemment se passer des œuvres humaines les plus aptes à contribuer à la réalisation de leur but. Par là même, elles ont suscité un patrimoine extraordinaire, un trésor culturel d'une richesse fabuleuse, légitime fierté des liturgistes, source de plaisir esthétique sinon de joie pour beaucoup d'hommes et de femmes, même pour ceux qui n'ont jamais entendu parler d'un certain Jésus de Nazareth.

Remarquons que ce patrimoine, la liturgie ne le présente pas du tout à la manière d'un musée. Celui-ci, avec tous les avantages qu'il propose, enlève les œuvres à leur lieu de production et à leurs circonstances d'usage. Intérêt de pouvoir comparer des réalisations d'un même artiste, lors des expositions notamment ; manque d'enracinement, d'autre part. Il suffit d'évoquer la comparaison pour mettre en relief la particularité de la liturgie. Celle-ci est une tradition vivante ; elle fait chanter le *Magnificat* tous les jours à vêpres, au moins depuis le temps de saint Benoît et encore aujourd'hui ; celui de Bach peut y prendre place, non comme une œuvre artistique exécutée à l'occasion du rassemblement de chrétiens, pour rehausser leur prière du soir, mais comme leur prière même, leur manière de chanter la grandeur de Dieu (littéralement « faire Dieu grand », *magni-ficare*) alors que le soir tombe. Les *Passions* de Bach sont sans doute trop longues pour être entendues aujourd'hui à la messe du dimanche des Rameaux ou le Vendredi saint ; celle de Heinrich Schütz, comme les *Leçons de ténèbres* de François Couperin, pourraient très bien être exécutées aujourd'hui encore lors de la semaine sainte ; l'inspiration qui les a fait naître reste vivante dans le culte du XXe siècle.

La liturgie est le lieu natif de ces œuvres. Elles ont bien sûr acquis leur autonomie, comme les *Messes* de Mozart qui peuvent être jouées dans des salles de concert. Il n'en reste pas moins que lorsqu'elles retrouvent le lieu qui les a fait naître, elles produisent un des effets essentiels de l'acte liturgique : l'unité d'un peuple rassemblé.

Ce n'est donc pas vaniteuse gloriole de rappeler que tant d'œuvres qui font la fierté de l'Occident doivent leur raison d'être à la liturgie. Et qu'elles y collaborent toujours. Car il y a toujours des moines à Saint-Benoît-sur-Loire, qui font chanter les pierres admirables de leur abbatiale lorsqu'ils lancent leurs *Alleluia*. Ce n'est aucunement un lieu mort, visitable encore par les touristes mais où ne vibrerait plus le souffle qui l'a suscité. Il suffit de visiter un monastère abandonné ou en ruine pour être saisi de la différence. De même, on peut admirer des Rubens dans de nombreux musées du monde ; mais ses deux grands tableaux, l'*Érection de la croix* et la *Descente de croix,* dont le second au moins fut commandé pour la cathédrale d'Anvers et qui sont toujours situés là, à l'entrée de chaque transept, trouvent *in situ* un éclat à nul autre pareil.

J'aime, en ce sens, les restaurations d'églises qui ne choisissent pas une époque de référence, se proposant de reconstituer l'édifice tel qu'il était lors de sa construction, ou de son plus grand éclat. Je préfère qu'on y laisse s'entrecroiser des murs romans et des rosaces gothiques, un autel baroque (même si liturgiquement cela n'a plus grand-chose à voir avec la fonction d'un autel) et un buffet d'orgue du XVIIIe siècle, des plaques commémoratives et l'une ou l'autre statue de style « Saint-Sulpice » (pas trop !). Car c'est la vie du bâtiment, qui à chacune de ses époques a rempli son rôle, a reçu l'assemblée chrétienne pour sa prière, et a été embelli à la manière du temps. Le restaurer en sa version romane, fût-elle originaire, c'est faire de l'archéologie, mais non pas de l'histoire. Outre leur fonction première, ces édifices ont une tâche essentielle : celle d'assurer la mémoire du temps, et de nous cultiver. Admirable, en ce sens, et exemplaire, la restauration de la cathédrale de Trèves, où aux murs romains sont accrochées des orgues ultramodernes.

Des personnes s'étonnent, en parcourant le programme de l'*Institut supérieur de liturgie* de Paris, de constater qu'il fait appel à un archéologue pour étudier les traces des baptistères antiques et mieux comprendre par elles les textes anciens du baptême ; à un iconographe pour saisir comment les médiévaux ont compris le Canon de la messe ; à une historienne de l'art pour traiter de l'eucharistie dans la peinture italienne du Moyen Âge. Ou qu'il s'appuie sur l'*Institut de musique et de musique liturgique* de la même faculté de théologie pour entrer plus profondément dans la compréhension des œuvres musicales qui sont nées de la liturgie. Mais comment la comprendre, en toute son amplitude, sans faire appel à ces disciplines ? La liturgie ne se réduit pas à des textes !

Tout cela concerne la culture occidentale, plus précisément celle des pays où se célèbre la liturgie romaine, c'est-à-dire l'Europe occidentale et centrale. On pourrait en dire autant, et peut-être plus encore, de la Russie et du Moyen-Orient avec la liturgie byzantine, ainsi que des autres familles liturgiques qui y fleurissent, jusqu'au rite chaldéen enraciné dans la culture sémitique. La liturgie fut, en Occident, un des principaux pétrins où se sont mêlées les sources de la culture occidentale, Jérusalem, Athènes et Rome. Durant vingt siècles, elles ont été malaxées, unissant l'*Alleluia* hébreu, le *Kyrie* grec et le *Stabat mater* médiéval. Le constat n'en fait apparaître que plus vivement le défi de l'inculturation, aujourd'hui et demain.

J'ai cité principalement des œuvres du passé, plus familières à tous. Mais la création liturgique n'est pas tarie.

Faut-il rappeler, en musique, les œuvres d'Olivier Messiaen, ou la *Passion selon saint Luc* de Krzysztof Penderecki ? On admire aussi les églises modernes des architectes suisses et allemands, ou les œuvres du céramiste belge Max van der Linden. Sans parler des innombrables textes écrits en diverses langues pour la liturgie ; en français, la *Liturgie des heures* a opéré un choix parmi plus de trois mille hymnes. Elle en a retenu près de trois cents, écrites par plus de cent auteurs.

L'ŒUVRE DE LA LITURGIE

La liturgie se révèle être ainsi un puissant véhicule de culture. Son but n'est cependant pas l'érudition. Son objectif n'est pas d'apprendre aux personnes qui sont dans l'église à apprécier l'âge du calice du prêtre ou la qualité des mélodies grégoriennes. Son propos n'est pas la science, mais la culture, au sens premier du terme. La liturgie se propose de cultiver les participants ; elle les travaille en leur annonçant la Parole de Dieu et en les invitant à changer de vie ; elle donne des mots à leurs cris, en mettant par exemple sur leurs lèvres les paroles du psaume :

> *Réveille-toi ! Pourquoi dors-tu, Seigneur ?*
> *Lève-toi ! Ne nous rejette pas pour toujours.*
> *Pourquoi détourner ta face,*
> *oublier notre malheur, notre misère ?*
> *Oui, nous mordons la poussière,*
> *notre ventre colle à la terre.*
> *Debout ! Viens à notre aide,*
> *Rachète-nous, au nom de ton amour.* [Ps 43, 24-27.]

Elle inquiète et fait jubiler ; elle console et fait prendre l'air du large. Comment cela ?

L'appropriation.

La liturgie cultive tout d'abord en mettant ceux qu'elle rassemble au contact du patrimoine évoqué ci-dessus. Patrimoine qui est son bien, offert aux participants pour qu'ils se l'approprient, petit à petit, comme on l'a déjà dit souvent dans les chapitres antérieurs. Elle ouvre son trésor à chaque célébration, au point que l'on s'étonne parfois d'y trouver des pièces si vénérables alors qu'on en fait un usage si commun. En fait, elle procède par *tradition*.

Ce terme mérite une explication. À l'utiliser, on risque aujourd'hui d'être mal compris, car le mot a été accaparé par les traditionalistes, qui confondent trop souvent la tradition avec les usages des derniers siècles. Ou alors le terme est assimilé aux habitudes et aux conventions ; il évoque le poids du passé, un héritage encombrant et lourd à porter.

En théologie, la tradition désigne un processus, un phénomène actif qui compte trois temps. Le premier est la *réception*. La tradition désigne d'abord l'héritage, effectivement, le trésor que l'on est invité à recevoir. Car nous ne sommes pas les premiers occupants de la planète, ni les premiers chrétiens. À le penser, on serait bien sot ; on se priverait de tout le génie de nos ancêtres, de toute la somme de créations accumulées avant nous.

À cette phase d'accueil succède celle de l'*assimilation*. Le trésor n'est pas donné seulement à contempler de l'extérieur, il est offert pour enrichir, pour fournir des ressources à ceux qui veulent s'en servir. Pour cela, il faut l'ouvrir, en faire l'inventaire, se l'approprier, le transformer, l'actualiser.

Tout cela en vue de la *transmission* du patrimoine aux générations suivantes. Et comme chaque génération est nouvelle, la manière de le proposer se fait aussi différente. C'est le même trésor, mais présenté nouvellement, en fonction des questions du temps et des interrogations de ceux à qui l'on s'adresse. L'Église n'a fait que cela, depuis vingt siècles : transmettre l'Évangile, en des langages chaque fois différents. On peut légitimement se reconnaître mieux en certains de ces langages qu'en d'autres ; on peut aussi estimer que sur tel point saint Irénée, au IIe siècle, a mieux parlé que tous ses successeurs. La tâche de chaque génération est de vivre dans une fidélité évangélique suffisamment forte pour « tirer de son trésor du neuf et du vieux » (Mt 13, 52).

Ainsi, curieusement pour nos oreilles habituées à d'autres significations, la tradition crée du neuf. S'il n'existait dans l'Église que l'Écriture, nous serions encore à Jérusalem, au cénacle, et nous parlerions araméen. Mais la nécessaire transmission de la foi à des peuples de cultures différentes et à des générations sans cesse nouvelles a fait en sorte que la graine est devenue un grand arbre [1].

On comprend que la liturgie ne se propose pas seulement d'être un véhicule de la tradition. Elle est traditionnelle, au sens où elle accomplit sans cesse le processus décrit ci-dessus. Elle fait acte de tradition, annonçant aujourd'hui la Parole mise hier par écrit, créant du neuf avec la sagesse de l'ancien. Un très bel exemple en est la succession, dans les célébrations, de la proclamation de la Parole et de l'homélie, de l'Évangile et de son actualisation ; la Bonne Nouvelle n'est ni l'hier ni le seul aujourd'hui ; c'est la Parole du Christ annoncée dans sa pureté et commentée avec fidélité.

Dans ce processus de tradition, on saisit l'intérêt de ce qui résiste à la compréhension immédiate. Comme on l'a déjà dit précédemment, mais comme le lecteur le perçoit sans doute mieux encore maintenant, la liturgie n'est pas destinée à être entendue comme une consigne ou un communiqué de presse ; elle n'est pas assimilable au journal télévisé et ne peut lui être comparée. Car les objectifs sont différents. Le journal vise à être compris à première audition ; on pourrait même considérer que s'il ne

1. Sur le phénomène de tradition et son importance pour la liturgie, lire le numéro 178 de *La Maison-Dieu*, 1989-2.

l'est pas, les journalistes ont mal fait leur travail. Car demain sera présenté un autre journal.

La liturgie n'est pas du même ordre. Si je n'ai pas compris aujourd'hui toutes les paroles du chant, je l'entendrai encore demain, ou l'année prochaine. Comme les proverbes, véhicules de la sagesse des peuples ; ils sont souvent formulés de manière un peu mystérieuse, pour forcer justement l'attention ; il arrive fréquemment qu'on les comprenne après coup, c'est-à-dire après les avoir appris, au moment précisément où les circonstances que l'on vit en font percevoir la justesse.

La liturgie ne vise donc pas la difficulté pour la difficulté, ni l'hermétisme et encore moins l'ésotérisme. Mais elle ouvre sans cesse le trésor, gratuitement et gracieusement, et fait confiance à la sagacité des participants pour qu'ils se l'approprient, au rythme qui leur conviendra. Ce n'est pas un drame si je ne comprends pas d'emblée la richesse de ces deux vers :

Ne pensons pas que Dieu se tait
Quand il se dit par sa naissance[1] *!*

Peut-être est-ce seulement l'an prochain à Noël que je saisirai que Dieu parle, par des événements plus encore que par des mots. Ou lorsqu'une homélie l'explicitera. Et quand je l'aurai compris, j'aurai plaisir à le réentendre, l'année suivante.

Sans doute me faudra-t-il du temps pour rapprocher, en ma mémoire, la fin des trois strophes de l'hymne pascale *Jésus qui m'as brûlé le cœur* (D. Rimaud, I 144) :

Pour que le feu de ton bonheur
À d'autres prenne !

Et par ton nom dans mon regard
Fais-toi connaître !

Pour que je sois cet étranger
Brûlant de Pâques !

1. Hymne des vêpres de Noël, *À pleine voix chantons pour Dieu* (D. Rimaud, F 180).

Mais justement, la liturgie me donne du temps. Et quand j'aurai saisi, je demanderai instamment à Dieu de faire grandir en moi le feu de son bonheur ; je le prierai de graver plus intensément son Nom dans mon regard, et je découvrirai ma mission. Je resterai stupéfait d'être appelé, pour d'autres pèlerins, à devenir moi-même comme un Christ sur le chemin, cet étranger brûlant de Pâques !

Ainsi, petit à petit, le mystère chrétien se met à résonner dans ma vie. Tantôt sous forme de rapport à l'inexprimable, et je méditerai : « Dieu au-delà de tout créé [1]... » ou encore : « Ô toi, l'au-delà de tout, n'est-ce pas là tout ce qu'on peut chanter de toi [2] ? » Tantôt sous forme de question, et je m'interrogerai : « Qui donc est Dieu [3]... ? » Et tantôt ce sera la jubilation, qui me fera entonner le psaume 150 :

> *Louez-le par les cymbales sonores,*
> *Louez-le par les cymbales triomphantes !*
> *Et que tout être vivant*
> *chante louange au Seigneur !* [Ps 150, 5-6.]

La liturgie introduit progressivement les participants dans la compréhension du mystère de la foi ; elle leur propose « les mots pour le dire [4] ».

Le travail des mots.

La liturgie cultive ceux qu'elle rassemble en leur offrant les données de la foi, par tradition. Elle le fait aussi en les travaillant par les mots qu'elle leur apprend, par les phrases entendues, par ce trésor symbolique confié à la mémoire du cœur et où l'on peut puiser, en cas de besoin. C'est dans ce

1. Hymne de carême (D. Rimaud, H 124).
2. Hymne de l'office des lectures des mercredis I et III, attribuée à Grégoire de Nazianze.
3. Hymne des laudes des samedis I et III, et des vendredis II et IV (J. Servel, L 82).
4. Titre d'un livre de Marie Cardinal, où elle montre bien l'effet thérapeutique de la capacité de nommer les choses que l'on vit.

trésor que Jésus a trouvé les mots qui lui brûlaient les lèvres, quand il s'est écrié sur la croix : « Mon Dieu, mon Dieu, pourquoi m'as-tu abandonné ? », premières paroles du psaume 21.

Il est un bel exemple de ce travail des mots dans un épisode célèbre du procès de Jeanne d'Arc, rappelé par le père Gy : « Pour faire dire à la sainte une hérésie, on lui pose une question difficile : “ Êtes-vous sûre d'être en état de grâce ? ” ; et elle répond avec une justesse chrétienne et une adresse qui confondent ses juges comme Jésus confondait les Pharisiens : “ Si j'y suis, Dieu m'y garde ; si je n'y suis pas, Dieu m'y mette ! ” Les historiens n'ont pas remarqué que Jeanne illettrée puisait de quoi vaincre les docteurs dans les prières du prône : “ Nous y prierons, y disait le prêtre chaque dimanche, pour ceux qui sont en état de grâce, que Dieu les y tienne jusques à la fin, et ceux qui sont en péché mortel, que Dieu les en veuille jeter hors hâtivement[1]. ” »

J'aimerais, sur mon lit de mort ou sur la route où je mourrai accidentellement, que me revienne en mémoire les premiers versets du psaume 26, dont l'université d'Oxford a fait sa devise : « Le Seigneur est ma lumière et mon salut, de qui aurais-je crainte ? » Si quelqu'un allumait à ce moment la flamme d'un cierge, je suis certain qu'elle illuminerait mes yeux, s'ils peuvent encore la voir, et sûrement mon âme.

Les ressources de l'assemblée.

La liturgie cultive, enfin, en faisant appel aux possibilités de l'assemblée. C'est elle, normalement, qui doit pouvoir

1. P.-M. Gy, « Signification pastorale des prières du prône », *La Maison-Dieu*, 30, 1952-2, p. 125-136 (ici p. 130) ; il cite un formulaire de Meaux (Paris, BN lat 1347, f. 222v) publié depuis lors par J.-B. Molin, « L'*oratio communis fidelium* au Moyen Âge en Occident du xe au xve siècle », *Miscellanea liturgica in onore di sua Eminenza il Cardinale G. Lercaro*, t. II, Rome, 1967, p. 429 ; on trouve des formulaires proches aux pages 360 (Provins), 388 et 417 (tous deux de Paris).

assurer les diverses fonctions liturgiques : accueil, chant et musique, lecture, etc. Je regrette beaucoup que l'on se fie trop, ici, à la facilité, notamment dans le domaine de la musique ; tant de jeunes font de la musique, mais combien ont déjà été sollicités pour offrir leurs talents à la prière commune ? On préfère utiliser des cassettes, de la « musique en boîte » ; il suffit d'appuyer sur le bouton. L'esprit de la liturgie n'est pas là. Car une assemblée vibre beaucoup plus à une musique exécutée par l'un des siens, fût-ce avec une fausse note, qu'à une cassette semblable à celle qu'on a utilisée dans la voiture, en arrivant. Le but n'est pas la réussite esthétique, mais la participation de tout un peuple, et sa culture. Saint Ambroise n'a-t-il pas écrit que les chrétiens chantent (sous-entendu : même faux), et que l'Esprit Saint harmonise leurs voix ? « La beauté de la liturgie, a dit quelqu'un, est celle qui rayonne sur le visage des participants. » La liturgie craint l'envahissement de la technique, quand elle n'est pas nécessaire ; elle privilégie le rapport direct, et tout ce qui peut sortir de l'assemblée elle-même, sans artifice.

L'APPRENTISSAGE CULTUREL

Par ses diverses modalités de fonctionnement, la liturgie apparaît donc comme un mode particulier d'apprentissage culturel. À la différence de l'étude, celui-ci se réalise par la pratique de ce que l'on veut apprendre. « C'est en forgeant que l'on devient forgeron » ; c'est en célébrant la liturgie qu'on apprend le mystère de la foi. La liturgie est, au grand sens du terme, une initiation.

La culture, en effet, c'est ce qu'on apprend sans le savoir, par l'air que l'on respire. On en prend conscience lorsqu'on se met à l'étudier, plus encore lorsqu'on se trouve plongé dans une autre civilisation. On se rend compte alors que tous les humains n'ont pas les mêmes entrées dans la réalité. Avant cela, les gestes qu'on a vu faire paraissent tout « naturels », alors qu'ils sont tout autant culturels.

Qui que nous soyons, nous avons appris à sourire en voyant nos parents sourire au-dessus de notre berceau. Et notre mère s'est montrée suffisamment *intelligente* pour ne pas nous offrir le *Petit Robert* à notre naissance ; elle a tout simplement commencé à nous parler, se fiant à notre intelligence, et nous nous sommes mis progressivement à faire comme elle. Elle a enclenché le processus de l'apprentissage culturel. La grammaire et le dictionnaire nous ont été bien utiles, mais ultérieurement.

La liturgie pareillement plonge ses participants dans ses textes et dans sa musique comme dans un bain, pour qu'ils en soient imprégnés et puissent se les approprier. Dans tous les sens du mot, elle fait œuvre de culture. On comprend le réflexe de ceux qui répugnent à étudier la liturgie ; ils craignent qu'en l'analysant on perde le sens du mystère. Mais ils ne savent pas à quel point l'étude peut en raviver le goût et en développer la saveur.

Cela éclaire les rapports entre liturgie et catéchèse. Trop souvent la liturgie est considérée comme une *occasion* de catéchèse ; à la limite, on en profite, « puisque les gens sont là ». Mais ils ne sont pas là pour cela ! Il faut dénoncer toute exploitation de la liturgie à une fin qui n'est pas la sienne propre. Elle n'est pas plus une séance d'information que le concert n'est le lieu d'un cours de musicologie. Bien sûr la liturgie comprend aussi un aspect didactique [1] ; on y entend l'Écriture, et elle est commentée pour l'assemblée ; on fait aussi les annonces. Mais il faut respecter sa finalité première, sans quoi on l'utilise, au sens péjoratif du terme, et elle devient ennuyeuse.

1. P.-M. GY (« La Liturgie entre la fonction didactique et la mystagogie », *La Maison-Dieu*, 177, 1989-1, p. 7-18), où il commente l'article 33 de la constitution conciliaire, qui s'exprime ainsi : « Bien que la liturgie soit principalement le culte de la divine majesté, elle comporte aussi une grande valeur pédagogique pour le peuple fidèle. Car, dans la liturgie, Dieu parle à son peuple ; le Christ annonce encore l'Évangile. Et le peuple répond à Dieu par les chants et la prière... ».

Il y aurait à prendre bien plus au sérieux la catéchèse qui se fait *par* la liturgie, s'il est vrai qu'elle cultive. Par les adresses de la prière, on y entend les noms divins : Dieu et Père ; Jésus, le Christ ; le Saint-Esprit. La formulation de la prière indique que l'on s'adresse au Père, par le Fils, dans l'Esprit Saint. On y apprend tous les mots qui constituent l'*abc* de la foi. On y est invité à élever son cœur pour l'action de grâces, à tendre la main pour le geste de paix, à l'ouvrir pour la communion.

Dans nos pays, il ne dépend évidemment pas de la seule bonne volonté des catéchistes que les enfants « pratiquent », comme on dit ; mais on risque, par le fait même, de minimiser l'importance de la « pratique » de la foi. On croit pouvoir compenser par l'enseignement. Et la catéchèse, en conséquence, reste trop notionnelle. Comment peut-on apprendre à un enfant ce qu'est la messe, s'il n'y est jamais allé ? Le risque est de lui expliquer en quoi elle consiste, plutôt que de lui donner le goût d'y aller. On a beaucoup investi, depuis cinquante ans, dans la catéchèse ; n'est-il pas temps de le faire aussi dans la liturgie ?

CHAPITRE VII

CÉLÉBRER L'AUJOURD'HUI DE DIEU

Depuis son apparition, l'humanité s'est sentie menacée par la fuite du temps. « *Fugit irreparabile tempus* », s'exclamait Virgile. Le temps s'écoule, et nous mène impitoyablement vers la mort. Un des principaux livres du philosophe Martin Heidegger, *Sein und Zeit*, développe l'idée que l'être n'a d'autre destinée que la mort : *Sein zum Tode*. En le plagiant, on pourrait écrire *Zeit zum Tode* : le temps ne mène qu'à la mort. Beaucoup de jeunes se trouvent sans avenir, ou du moins est-il si incertain...

Notre époque connaît indubitablement une accélération de l'histoire ; on parle du siècle de la vitesse, et peu de nos contemporains échappent au rythme fou des week-ends qui suivent les semaines en fondus enchaînés. On meurt sous le stress. Même dans les abbayes, on prévoit des temps de vacances pour moines et moniales ! « Je n'ai pas le temps », entend-on répéter partout ; expression qui peut vouloir dire que le temps me file entre les doigts, et plus encore que je ne le possède pas ; je n'en suis pas maître.

Le temps apparaît donc comme une métaphore de notre existence même ; elle aussi nous coule entre les doigts sans que nous puissions la maîtriser. L'expérience commune est celle d'une non-coïncidence avec le temps, dont le présent est déjà passé au moment même où je l'énonce. Elle provoque la lutte pour la domination du temps, la recherche d'une maîtrise sur cette succession absurde des instants, en vue de lui donner un sens, c'est-à-dire à la fois une orientation et une signifiance.

La liturgie possède-t-elle des ressources particulières pour affronter cette dimension de l'existence ? Effectivement elle ne paraît pas sans moyens. Elle reçoit de la Bible un principe organisateur : « En un commencement Dieu créa le ciel et la terre… » (Gn 1, 1), création qui a un début et qui oriente vers une fin à laquelle aspire l'attente des croyants : « *Marana tha !* Amen, viens, Seigneur Jésus » (Ap 22, 20, avant-dernier verset du Nouveau Testament). Ces deux termes suscitent entre eux une *histoire*, c'est-à-dire la transformation de la folle succession des instants en un projet traversé par un sens. Cette histoire est celle de l'humanité ; la foi biblique la transforme même en une histoire sainte, où Dieu se présente comme partenaire. La liturgie reprend ce projet à son compte ; elle nous y introduit notamment par l'organisation qu'elle donne au temps et qu'on nomme habituellement l'année liturgique.

Ce chapitre essayera donc de montrer comment la liturgie propose de résoudre intelligemment l'énigme du temps. Il développera l'intérêt de l'année liturgique, et surtout du moment présent dans lequel la liturgie se célèbre, cet aujourd'hui que Dieu nous offre pour en jouir gracieusement.

L'ANNÉE LITURGIQUE

L'année liturgique se présente comme une organisation cohérente des jours et des semaines de l'année ; elle forme un cycle qui est repris presque identiquement chaque année. Mon intention n'est nullement d'en durcir les contours. Comme la plupart des réalités chrétiennes, elle a une histoire. Initialement les chrétiens ne connaissaient que la fête de Pâques, et peut-être même la seule Pâque hebdomadaire du dimanche. Selon les recherches récentes, il est bien probable que la fête de Noël elle-même, si souvent présentée comme un second pôle de l'année liturgique, soit apparue à partir de Pâques, pour fêter la naissance de celui dont on célébrait à Pâques la Résurrection[1]. En tout cas, l'apparition des grandes fêtes (Noël, Ascension, Pentecôte) date du IVe siècle ; le calendrier s'est enrichi ultérieurement des fêtes mariales, et n'a pu couvrir l'ensemble de l'année que grâce au culte des saints.

Le premier intérêt de l'année liturgique consiste à créer une alternance de temps forts et de temps faibles ; elle propose des fêtes, nécessairement séparées par un temps moins valorisé, qu'on nomme souvent « ordinaire », mais dont l'appellation officielle est précisément « le temps durant l'année ». Elle crée ainsi un *rythme*, une succession différenciée qui nous fait échapper à la monotonie. L'année liturgique est un programme qui fait naître de la différence ; elle peut se comparer au rite qui, au dire du renard qui apprivoisait le petit prince, « est ce qui fait qu'un jour est différent des autres jours, une heure, des autres heures[2] ». Instaurer un calendrier, c'est poser des repères et des jalons grâce auxquels les instants acquièrent une valeur qualitativement différente. Tout le monde connaît l'ambiance particulière de la fête de Noël.

Cette succession du quotidien et des fêtes s'enracine dans le cosmos. Il n'est pas du tout indifférent que le calendrier chrétien ait fixé la naissance du Sauveur au solstice d'hiver, lors de la nuit la plus longue de l'année ; n'est-ce pas au sein des ténèbres qu'il est bon de croire à la lumière ? Et la foi en la Résurrection pascale s'amplifie aux dimensions cosmiques lorsqu'on la célèbre au moment où la nature se met elle aussi à revivre (du moins dans l'hémisphère Nord). Plus la culture dominante paraît négliger la dimension cosmique de l'existence, plus les horoscopes fleurissent dans les médias. Une civilisation est d'autant plus riche

1. Lire T. TALLEY, *Les Origines de l'année liturgique,* Paris, Éd. du Cerf, coll. « Liturgie », 1990.
2. A. DE SAINT-EXUPÉRY, *Le Petit Prince,* Paris, Gallimard, 1946, p. 70.

qu'elle développe sa culture au sein d'une nature qu'elle respecte tout en l'humanisant. Car le petit d'homme naît de parents, citoyens d'un pays, qui l'insèrent dans une culture. Mais il vient au monde sur une planète qui appartient au système solaire et s'intègre dans le fabuleux agencement des galaxies. Nos ancêtres le savaient bien, qui n'avaient aucun scrupule à sculpter les signes du zodiaque aux tympans des cathédrales.

Intérêt cosmologique. Intérêt théologique aussi, car l'idée même de l'année liturgique consiste à ouvrir le temps des hommes sur celui de Dieu, si l'on peut dire. Les fêtes liturgiques sont là pour relier nos existences à celle de Dieu, pour nous faire communier aux événements majeurs de la vie de Jésus, pour « nous unir à ses mystères » comme on disait au XVIIe siècle. Elles donnent à notre vie sa dimension d'éternité ; on y respire un autre air, et l'on en sort en-thousiasmés [1].

Des temps et des moments.

Il vaut sans doute la peine de rappeler ici comment le calendrier actuel de l'Église agence la succession des temps et des jours, et surtout l'importance qu'il leur donne. On sera sans doute surpris d'apprendre que les *Normes universelles de l'année liturgique et du calendrier* [2] traitent des jours avant de considérer le cycle de l'année, afin de pouvoir présenter d'abord le dimanche, la plus ancienne fête chrétienne, et toujours la plus importante. Jour de la Résurrection du Christ, il est le premier jour de la semaine, jour de renaissance et de recréation de toutes choses, et

1. Selon l'étymologie grecque, le terme signifie [être] en Dieu. — Sur le mystère du temps, on peut lire le beau livre de H. Bourgeois, P. Gibert et M. Jourjon, *L'Expérience chrétienne du temps,* Paris, Éd. du Cerf, coll. « Cogitatio fidei », 142, 1987, qui comprend notamment un chapitre intitulé « Le temps que dit la liturgie ».

2. Promulguées le 21 mars 1969 ; on les trouve au début du missel d'autel, ou dans le livre édité par le CNPL, *Les Nouveaux Rites de la messe*, Paris, 1969, p. 123-161.

non une fin de semaine, un week-*end*. Durant l'année, le moment le plus fort est le triduum pascal, qui va de la messe du soir du Jeudi saint jusqu'aux vêpres de Pâques. Vient en second lieu le temps pascal, les cinquante jours qui s'étendent de Pâques à la Pentecôte ; ce sont les jours de la *pentecostè*, qui « sont célébrés dans la joie et l'exultation, comme si c'était un jour de fête unique, ou mieux " un grand dimanche " (expression de saint Athanase) » (n° 22). À l'encontre de ce que pensent la plupart des Occidentaux masochistes, le temps de liesse précède le carême en importance. Or je ne connais pas d'équipe liturgique qui ait jamais concentré ses efforts sur le temps pascal. La liturgie est plus joyeuse que nous.

L'année liturgique nous présente donc l'alternance de temps forts et de temps ordinaires, mais aussi celle des dimanches et des semaines, celle encore des nuits et des jours. On connaît la vigile pascale et la messe de minuit ; on est moins habitué aux veillées qui peuvent avoir lieu les veilles de grande fête, à l'instar de la vigile pascale. Il faut songer aussi aux moines et moniales dont certains célèbrent des offices de nuit ; des moines m'ont dit qu'ils ne supprimeraient cet office pour rien au monde, tant il s'en dégage une saveur spéciale. Ce n'est pas banal, en effet, de se lever en pleine nuit pour chanter, au milieu de l'épais silence, les louanges de celui qui va faire surgir la lumière. On comprend que cela marque la vie d'un homme ou d'une femme.

Un cycle infernal ?

Ainsi la liturgie nous situe-t-elle dans le temps. Elle fournit des repères. Mais ne nous enferme-t-elle pas dans un cercle infernal ? L'année liturgique n'est-elle pas le modèle de la fermeture cyclique ? Oui, car effectivement le cycle se répète l'année suivante. Et cependant non. Car d'abord elle ne se répète pas de façon identique ; les dates varient en fonction de celle de Pâques, fixée à partir des révolutions de la lune ; et depuis 1969 les lectures bibliques des eucharisties dominicales font partie d'un cycle de trois ans, tandis que la première lecture des jours de semaine connaît un cycle de deux ans ; à l'Office des lectures aussi, ces dernières sont réparties sur une ou deux années.

Mais, beaucoup plus profondément, cet ordonnancement échappe au cercle infernal car il est pris dans un ensemble plus vaste ; il est orienté vers un terme, il pointe dans une direction, il connaît une tension eschatologique, c'est-à-dire marquée par l'espérance des derniers événements de l'histoire. Depuis le baptême, toute la vie chrétienne est orientée vers le Retour du Christ. L'histoire humaine se trouve située entre deux visages, celui du Père qui nous a créés à son image et à sa ressemblance, celui du Christ que l'on aspire à contempler. Le passage d'une année liturgique à l'autre se fait d'ailleurs subtilement ; les derniers dimanches orientent vers le Retour du Seigneur, et ceux de l'avent nous font espérer autant le second avènement du Christ que le premier.

Enfin, la reprise du cycle liturgique d'année en année se joint à notre évolution personnelle. Le parcours ne prend pas la même signification à cinq ans, à vingt-cinq ou à soixante-quinze. Chaque année d'ailleurs, quelque chose nous frappe, des éléments neufs nous apparaissent que nous n'avions pas encore découverts auparavant, si bien que la « fin » de l'année liturgique ne nous ramène pas à la case départ [1].

L'image est donc plutôt celle d'une spirale. Le tour de piste ne nous ramène pas au même point ; le sillon nous entraîne plus loin. Mouvement circulaire, oui, mais qui aboutit à un enrichissement progressif, et qui est orienté vers la rencontre du Seigneur.

1. Je mets le mot « fin » entre guillemets, car une fois de plus le début (et la fin) de l'année liturgique sont des notions souples. Jadis elle a débuté à Noël, à l'Annonciation, à Pâques... ; les Byzantins la font commencer en septembre. L'Église d'Angleterre connaît un calendrier qui compte neuf dimanches avant Noël, dont quatre de l'avent. Mieux vaut proposer une transition en douceur d'une année à l'autre que d'insister lourdement sur le passage brusque à une année nouvelle.

La re-présentation.

Comme on l'a déjà observé au chapitre II à propos du rite, lui aussi répétitif, il faut souligner que l'année liturgique nous offre une chance, dans notre intelligence de la liturgie. Si nous avons raté cette année-ci, une année nouvelle nous est offerte, tout aussi gratuitement. On n'est pas tenu de tout comprendre dès la première participation. Je puis fêter Noël pendant des années en me laissant prendre par le charme de cette fête et sa chaude intimité, en ne pensant qu'à la trêve des confiseurs ou aux vacances de ski, jusqu'au jour où je serai tout étonné de découvrir l'incroyable nouvelle de l'Incarnation de Jésus ; oui, Dieu s'intéresse véritablement à l'homme et à l'histoire humaine, au point de venir la partager. « Qui donc est Dieu, pour nous aimer ainsi[1] ? »

L'analogie de la musique, une fois encore, est éclairante. Qui peut se targuer d'apprécier totalement une œuvre à la première audition ? La musique n'est d'ailleurs pas faite pour cela, puisqu'on en fait des re-présentations. On la réécoute volontiers ; on tient particulièrement à entendre les passages que l'on a déjà repérés, et qu'on aime bien.

André Malraux a lancé naguère l'idée du *Musée imaginaire,* où il rassemblait toutes les œuvres qu'il aimait de par le monde. Le père Gy a repris la suggestion pour la liturgie ; chacun peut se constituer son trésor qui croît d'année en année, au fur et à mesure qu'il découvre de nouvelles perles, qu'il s'attache à de nouvelles œuvres[2].

Revenons à la musique. À partir des passages connus, que l'on est tout heureux de retrouver, on fait la découverte de ceux qui les entourent. Puis de nouvelles interprétations nous introduisent dans une vision encore insoup-

1. Hymne de laudes des samedis I et II, et des vendredis II et IV (J. Servel, L 82).
2. P.-M. GY, « Le Trésor des hymnes », *La Maison-Dieu,* 173, 1988-1, p. 20-21.

çonnée de cette œuvre que, cependant, on croyait bien connaître. Petit à petit, on apprend à goûter l'œuvre entière, avec ses divers mouvements, et l'intervention des différents instruments qui en composent l'harmonie. Ainsi s'opère un travail d'unification, à la fois de l'œuvre que j'appréhende dans son ensemble, et de moi-même qui me trouve unifié au contact d'une œuvre d'art.

Ainsi en va-t-il de la liturgie. Qui en fait le tour lors du premier cycle liturgique ? Le but n'est pas là. Comme une symphonie elle est composée de mouvements différents, et l'on peut aimer le temps pascal plus que le carême. Elle présente des pièces diverses : lectures, poèmes, chants, prières, et leur exécution par des acteurs différents peut être incroyablement variée, au point qu'on pensera ne jamais avoir entendu le chapitre 53 d'Isaïe avant qu'un bon lecteur l'ait si bien proclamé, cette fois, qu'on a pu entrevoir le visage du Christ souffrant. Ainsi progressivement le tableau se complète, sa richesse apparaît plus nettement, son intelligence se fait plus vive.

L'AUJOURD'HUI DE DIEU

« Aujourd'hui nous célébrons Jésus Christ ».

Hodie. « Aujourd'hui » est un des mots les plus caractéristiques de la liturgie. Tout le monde connaît l'acclamation d'anamnèse reprise en sous-titre [1]. Il est plus bel exemple encore, la merveilleuse antienne des vêpres de l'Épiphanie :

Nous célébrons trois mystères en ce jour :
aujourd'hui l'étoile a conduit les mages vers la crèche ;
aujourd'hui l'eau fut changée en vin ;
aujourd'hui le Christ a été baptisé par Jean dans le Jourdain pour nous sauver, Alleluia.

1. J.-L. Barrois, C 72.

Ou l'oraison de Pâques : « Aujourd'hui, Dieu notre Père, tu nous ouvres la vie éternelle par la victoire de ton Fils, et nous fêtons sa Résurrection. »

Si ces événements ne se passaient pas, d'une certaine manière, aujourd'hui, quel intérêt y aurait-il d'ailleurs à les fêter? La liturgie ne s'intéresse guère au passé. Au contraire, elle proclame constamment que « Dieu est à l'œuvre en cet âge[1] ». On fête l'Épiphanie, comme l'Ascension, pour effectuer notre « contemporanéité » avec le Christ, comme aimait à le dire Kierkegaard. Le plus bel exemple est sans doute celui de l'*Exultet* de la veillée pascale :

> Car voici la fête de la Pâque
> dans laquelle est mis à mort l'Agneau véritable
> dont le sang consacre les portes des croyants.
> Voici la nuit où tu as tiré d'Égypte
> les enfants d'Israël, nos pères,
> et leur as fait passer la mer Rouge à pied sec.
> C'est la nuit où le feu d'une colonne lumineuse
> repoussait les ténèbres du péché.
> C'est maintenant la nuit
> qui arrache au monde corrompu, aveuglé par le mal,
> ceux qui, aujourd'hui et dans tout l'univers,
> ont mis leur foi dans le Christ :
> Nuit qui les rend à la grâce
> et leur ouvre la communion des saints.
> Voici la nuit où le Christ, brisant les liens de la mort,
> s'est relevé, victorieux, des enfers.

Voici la nuit où tu as tiré d'Égypte les enfants d'Israël, nos pères, et nous en tires aujourd'hui. L'idée, c'est que Dieu est toujours le même ; s'il a entendu les cris de son peuple en Égypte (Ex 3, 7) et l'en a sorti, il agit encore de même avec nous ; sensible aux plaintes des opprimés, il les libère de toutes les Égyptes où ils sont esclaves. C'est pour cela d'ailleurs que nous fêtons Pâques, parce que la

1. D. Rimaud, T 50.

libération dont Dieu a fourni l'archétype dans la sortie d'Égypte est un processus toujours actuel. Sinon, à quoi bon passer toute la nuit à veiller, prier, chanter et rendre grâces ? Le rite est un condensateur historique.

L'idée vient d'ailleurs de la tradition pascale juive. « Pendant sept jours tu mangeras des pains sans levain [...] pour que tu te souviennes, tous les jours de ta vie, du jour où *tu* es sorti d'Égypte », écrit l'auteur du Deutéronome (16, 3) bien après que ses ancêtres ont vécu en ce pays. Lors du repas pascal, il revient au plus jeune des convives de demander pourquoi on célèbre cette fête ; l'aîné répond : « C'est à cause de ce que Yahvé a fait pour moi lors de ma sortie d'Égypte » (Ex 13, 8.14). Le grand rabbin Gamaliel, cité dans les Actes (5, 14), commente ce verset en disant : « Il faut que dans chaque génération chaque homme se considère comme ayant été lui-même délivré d'Égypte. Il faut que tout Israélite sache que c'est lui qui a été délivré de la servitude[1]. »

Dom Odon Casel, moine de Maria Laach, est sans doute l'homme qui a le plus œuvré en ce siècle pour nous rappeler cette dimension d'actualité des fêtes liturgiques ; après avoir passé sa vie à en parler, il est mort au chant de l'*Exultet,* en la nuit de Pâques 1948...

La liturgie célèbre l'actualité du mystère. Elle est une représentation, aux divers sens du terme : une répétition, de type rituel ; une re-présentation, au sens théâtral du mot, qui nous remet en présence de l'événement ; et elle nous en fait le présent, le cadeau. À l'opposé d'une certaine spiritualité, trop répandue, elle n'a rien d'une machine à remonter le temps, comme si son but était de nous reporter aux temps et lieux où l'événement s'est produit ; l'idéal, à l'eucharistie, serait de faire comme si nous étions les apôtres autour de Jésus, dans l'angoisse de l'arrestation et de la mort prochaine. On connaît les semaines saintes vécues dans le même esprit, et ces chemins de croix romantiques destinés à faire pleurer

1. Traité Pesahim, 10, 5.

comme les femmes de Jérusalem. Spiritualité plus sentimentale que liturgique ; la liturgie, elle, nous campe dans l'aujourd'hui de Dieu.

On touche ici aussi au caractère irréversible du rite ; dans le continu de la vie, il introduit de la discontinuité. Il est d'ordre ponctuel ; il établit une frontière entre hier et demain. Cela agace certains chrétiens qui ne paraissent sensibles qu'au vécu ; mais on a beau se préparer à devenir prêtre pendant des années, on est fait prêtre par l'ordination, et on ne l'était pas la veille. Le rite n'a pas toutes les vertus, loin de là, mais il a l'avantage d'offrir des repères.

Mémorial.

L'actualisation liturgique n'est cependant possible que grâce au passé. Le passage de l'*Exultet* cité ci-dessus le montre à l'évidence. La fête consiste à célébrer, c'est-à-dire à introduire en nos existences le ferment d'un événement passé dont la richesse de sens est appelée à les dilater. Il en va ainsi dans toutes les religions fondées, qui entretiennent un rapport structurel avec leur origine. On ne peut être chrétien sans se rapporter au Christ, ressuscité et vivant aujourd'hui, mais dont la foi atteste qu'il est la même personne que Jésus de Nazareth, qui arpenta hier les chemins de Palestine.

Ce rapport structurel au passé n'a cependant pas pour but de ramener le présent à l'origine. Son rôle est de communiquer à l'aujourd'hui la force de l'événement passé. « C'est cela que signifie la répétition du rite, écrit P.-J. Labarrière, qui investit chaque contenu d'existence nouveau de la même force germinante que contient le principe. » Il s'agit dès lors de « s'éveiller à l'appel de l'origine comme à une promesse pour l'aujourd'hui [1] ».

Cette idée est exprimée, dans la Bible, par la notion de

1. P.-J. LABARRIÈRE, « Le Rite et le Temps », dans : J. GREISCH *et alii, Le Rite,* Paris, coll. « Philosophie », 6, 1981, p. 30.

mémorial. Lors de la Pâque, il est dit à Israël : « Ce jour-là sera pour vous en mémorial » (Ex 12, 14). La traduction du mot reste difficile, car le terme « mémoire » n'est pas lesté de la charge historique du mémorial hébreu (*zikkaron* ; en grec : *anamnèsis*). Il s'agit d'actualisation plus que de souvenir ; le poids de la notion penche vers l'aujourd'hui plus que vers l'hier. En fait, l'anniversaire, tel que nous le connaissons, en est assez proche ; fêter un anniversaire de mariage, ce n'est pas avant tout se replonger dans le passé tel qu'on peut s'en souvenir ; bien sûr on se réjouira en se disant : « Tu te souviens [mémorial !], comme c'était beau ! » Mais cette mémoire sert à célébrer l'aujourd'hui ; elle met en relief les fruits que le mariage d'hier a produits, grâce aux heurs et malheurs qui ont considérablement enrichi l'expérience de départ.

La notion de mémorial est essentielle en théologie eucharistique. C'est elle qui a permis de surmonter les difficultés de la polémique entre catholiques et protestants sur le rapport à établir entre la Cène, la croix et l'eucharistie. Au cœur de la célébration, le récit de la Cène se termine par la parole de Jésus : « Faites ceci comme mon mémorial — en mémoire de moi. » Et la prière enchaîne : « Faisant donc mémoire [...] nous t'offrons... » La première prière eucharistique pour assemblée avec enfants a trouvé une belle paraphrase : « Ce que Jésus nous a dit de faire, nous le faisons dans cette eucharistie. » L'expression est claire, et plus fidèle à l'idée de mémorial que la formulation de la deuxième prière du même type : « Nous rappelons ici, Père très bon, la mort et la Résurrection de Jésus... » Le verbe « rappeler », on le voit, est faible.

Par sa référence actualisante au passé, la liturgie cultive la mémoire ; la citation de l'*Exultet* l'a montré. Toutes les grandes prières font constamment appel aux œuvres éminentes de Dieu, pour lui demander d'y être fidèle aujourd'hui.

Ouverture.

La liturgie célèbre l'aujourd'hui de Dieu. Elle entretient un rapport vivant avec le passé. Elle ne se contente cependant pas de ces deux dimensions. Elle ne se satisfait ni du passé ni d'un présent qui serait sans avenir. Car l'enfermement dans le présent, on le voit bien aujourd'hui, provoque lui aussi des crispations. Finis, les grands projets. Hasardeuses, les décisions à vie. On connaît les diverses formes de fuite que l'air du temps (précisément !) favorise. Le futur n'étant plus assuré, on se réfugie dans l'aujourd'hui ; il se développe en conséquence une sorte d'hédonisme du présent ; « on ne se refuse rien ».

La liturgie, pour sa part, ouvre constamment sur l'avenir. Elle nous campe dans l'aujourd'hui, mais nous fait lever les yeux vers demain. Cette dimension eschatologique est une caractéristique profonde de la liturgie, même si elle a été maintenue plus vive en Orient que chez nous. Car elle célèbre ce qui n'est pas encore ; elle est toujours en avance sur l'événement. Elle ne se contente pas de célébrer la vie, encore moins le vécu ; elle anticipe constamment sur ce que la vie ne nous donne pas encore à voir et à goûter.

Prenons l'exemple du geste de paix, ou de la communion. Celle-ci n'est pas la récompense de nos mérites et de nos vertus. Encore moins la photographie des relations que nous connaissons déjà ! Mais elle nous fait vivre, d'une certaine manière, et entrevoir, ce qui adviendra : la communion avec Dieu, avec les autres (une commune union), avec nous-mêmes. Elle nous propulse vers l'avenir. Pour le dire en passant, cela interroge profondément les communions grégaires qui se développent aujourd'hui, et plus généralement les manières de communier ; on ne voit souvent qu'une longue file, dans laquelle chacun n'aperçoit que le dos de son prédécesseur ; une fois servi, on s'assied, comme si les autres n'existaient pas ; comme dans un libre-service. Manière peu communionnelle de communier. Sans rien dire de la spiritualité de la première communion, encore souvent appelée « communion privée ». Comble de l'incongruité ! Et l'on s'étonne, encore une fois, que l'on ne comprenne pas...

Cette anticipation est très perceptible dans le sacrement du pardon. Oublier les sales coups que quelqu'un nous a faits, c'est strictement impossible. Mais on peut pardonner, et recevoir le pardon. Certains n'aiment pas, à ce propos, parler de *réconciliation*, craignant de donner à penser que dorénavant tout serait pour le mieux dans le meilleur des mondes. Non. Mais le meilleur des mondes nous est effectivement proposé, et sa dynamique est à l'œuvre. Le rite, écrit encore Labarrière, « opère dans la succession des événements l'*ouverture* qui les met en rapport avec cette plénitude d'origine et de terme qui leste la pauvreté des jours d'assurance et de promesse [1] ».

Cela explique aussi que la liturgie nous laissera toujours insatisfaits. Non seulement parce que sa célébration ne sera pas toujours à la hauteur de ce qu'on peut en dire dans les bons livres. Surtout parce qu'elle instille en nous un levain qui ne peut nous laisser en place.

LES FÊTES DES SAINTS

L'année liturgique ne comprend pas seulement les fêtes du Seigneur. Au long des jours, elle nous propose de fêter les saintes et les saints, ces amis de Dieu que l'Esprit a sanctifiés.

Tout a commencé par les fêtes des martyrs. Aux premiers siècles en effet, à l'époque des persécutions, on a reconnu en eux les chrétiens les plus proches du Christ, ceux et celles dont la vie, plus précisément la mort, s'identifiait à celle de Jésus se dessaisissant de sa vie. Le culte des martyrs fut d'ailleurs la première occasion de

1. *Ibid.*, p. 31.

célébrer l'eucharistie en dehors du dimanche, à l'anniversaire de leur mort ou plutôt de leur *dies natalis*, de leur naissance céleste ; quel meilleur lieu, en effet, pour s'unir à son Seigneur, que la tombe de ceux qui avaient donné leur vie pour lui ? Ce lien est conservé d'ailleurs, même s'il est devenu fictif, dans les reliques que renferme la pierre d'autel.

Des martyrs, on est passé aux autres saints. Leur succès a été croissant ! Le VIIe siècle n'est-il pas nommé « le siècle des saints » ? Deux faits de l'époque carolingienne (IXe s.) sont typiques à cet égard. D'abord l'instauration de la fête de Toussaint, le 1er novembre. Née en Angleterre, elle fut importée sur le continent par Alcuin, l'érudit de la cour de Charlemagne. Au XIe siècle, l'abbaye de Cluny y joindra, le lendemain, la fête de tous les fidèles défunts.

Puis le développement de la litanie des saints. Cette forme de prière n'est plus très prisée des chrétiens qui ont eu le sentiment, avec le concile Vatican II, de pouvoir se libérer de prières machinales, ritournelles et autres kyrielles. La litanie des saints a cependant son intérêt, historique et même théologique. On en connaît des antécédents au VIIe siècle, mais elle naît véritablement à la fin du VIIIe. En quoi consiste-t-elle ? La nouveauté est celle-ci : on fait précéder les anciennes litanies, qui avaient servi à la prière universelle, de l'invocation des saints et des saintes. La trouvaille, si l'on peut dire, vient une fois encore d'Angleterre ; de là elle se répand comme une traînée de poudre dans tout l'Occident. Notons au passage que ces listes de saints sont intéressantes pour les historiens, car elles permettent souvent de dater ou de localiser un document qui les contient ; un saint ou une sainte, par définition, a vécu à tel moment, et en tel lieu où son culte est instauré sans être nécessairement répandu ailleurs.

Il faut reconnaître que le culte des saints a parfois envahi la piété et même la liturgie. Vatican II l'a ramené à des proportions plus heureuses ; la révision s'est faite notamment avec un souci d'universalisation qui correspond bien aux dimensions que la planète a acquises en ce siècle. Ainsi sommes-nous invités à fêter une sainte péruvienne, sainte Rose de Lima, le 23 août, Charles Lwanga et ses compagnons les martyrs de l'Ouganda le 3 juin, et un saint japonais, Paul Miki, le 6 février.

Pourquoi parler ici des fêtes des saints ? D'abord parce que leur existence nous atteste qu'il est possible de vivre l'Évangile ; les Béatitudes ne sont pas seulement « les douces rêveries du prophète de Galilée », comme les qualifiait Renan ; elles ont pris corps dans la vie d'hommes et de femmes, les plus divers. Et pourquoi pas en nous ?

Mais l'intérêt principal du culte des saints consiste à nous enraciner en un peuple ; la litanie est en ce sens très évocatrice, puisqu'elle nous introduit dans le sillage d'une nuée de témoins, apôtres, martyrs, évêques et vierges, ermites et docteurs, grands de ce monde (Jean Chrysostome ou saint Louis) et pauvres hères (Benoît Labre ou Bernadette Soubirous... le premier ne figurant même pas dans les litanies officielles). Cet environnement est particulièrement appréciable au baptême, lors de l'entrée dans l'Église où tant de visages nous ont précédés et nous accueillent, et aux ordinations, lorsqu'on s'apprête à servir l'Église et le monde auxquels tant parmi eux ont consacré toutes leurs forces.

La fête des saints nous enracine dans une tradition. Il ne s'agit pas de faire défiler les portraits des ancêtres, mais de prendre place dans une histoire, de se situer dans la lignée de frères et de sœurs qui ont été touchés par l'Évangile et s'y sont donnés avec un enthousiasme que nous aimerions partager. Ils nous apprennent enfin le sens du relatif, en nous montrant qu'il y a bien des manières d'entendre la Parole et de la mettre en pratique, la meilleure étant celle à laquelle on se sent soi-même appelé.

À cet égard, je regrette un peu de constater que l'on se plaît aujourd'hui à célébrer davantage les anniversaires que les fêtes. Car mon anniversaire ne me renvoie qu'à moi-même, et au hasard du jour de ma naissance. Ma fête, elle, me met en rapport avec d'autres : mes parents qui ont choisi pour moi ce nom, parfois chargé de beaucoup d'affection, et celui que l'on appelle mon patron : non pas mon employeur, mais celui qui s'est employé à tracer une voie évangélique forte et originale.

DE LA GRATUITÉ

Le temps est la figure par excellence de la gratuité. Il nous est offert chaque matin sur un plateau d'argent par ce Dieu « qui fait lever son soleil sur les méchants et sur les bons, et tomber la pluie sur les justes et sur les injustes » (Mt 5, 45). Et il passe, sans compter, même si dans l'organisation du travail des hommes, *time is money*.

En liturgie comme en art, le temps ne s'écoule pas de manière productive. Il s'y prend lui-même pour sa propre fin. La poésie est faite pour être goûtée, au moment même où elle est énoncée. C'est particulièrement vrai pour la musique, qui est d'essence transitionnelle ; un son, à peine émis, doit laisser place au suivant. Tout s'écoule, mais ici c'est pour le bonheur.

La liturgie est libérée du souci de devoir produire quelque chose, fût-ce une liturgie « réussie » ! Elle est faite pour être goûtée, pour nous mettre sur la voie de l'émerveillement, de l'admiration des œuvres de Dieu, et de l'action de grâce. Il est essentiel à toute culture, surtout pour des adultes englués dans les activités productivistes d'une société technicienne, d'offrir des plages d'activité gratuite, de rencontre non marchande ; sans quoi la mise à la retraite risque de se révéler bien perturbante. « C'est pendant les fêtes, selon Platon, que les dieux remettent les hommes d'aplomb[1]. »

Comment résister, pour terminer ce chapitre, à citer Romano Guardini, ce grand théologien et liturgiste allemand, qui a comparé la liturgie au jeu. Il écrit :

1. PLATON, *Les Lois...* ; cité par A. GESCHÉ, *Dieu pour penser,* I : *Le Mal*, Paris, Éd. du Cerf, 1993, p. 147.

Vivre liturgiquement, c'est — porté par la Grâce et conduit par l'Église — devenir une œuvre d'art vivante devant Dieu, sans autre but que d'être et de vivre en présence de Dieu. C'est accomplir la parole du Maître et « devenir comme des enfants ». C'est, une fois pour toutes, renoncer à la fausse prudence de l'âge adulte qui veut toujours un but à tout. C'est se décider à jouer comme le faisait David quand il dansait devant l'arche d'alliance. Sans doute avec le risque que les sages et les prudents de ce monde qui, à force de gravité, ont perdu la liberté et la jeunesse de l'esprit, méconnaissent ce jeu sacré et s'en égayent ironiquement. David dut aussi endurer la moquerie de Michol [2 S 6, 20-23].

Voilà donc une des tâches de l'éducation liturgique : l'âme devra apprendre à ne pas chercher partout le but utile, à ne point vouloir à toutes forces trouver à tout une fin, à oublier d'être par trop prudent et « adulte » ; elle devra apprendre à... vivre, sans plus. À renoncer, dans la prière du moins, à cette fièvre d'activité qu'allume et fouette la poursuite du but. À prodiguer, à gaspiller son temps au service de Dieu[1]. À ne point compter, à ne point peser, dans le jeu sacré, chaque mot, chaque pensée, chaque geste, en se demandant toujours : pourquoi et dans quelle fin ? Il faudra se résigner à ne pas vouloir toujours *faire* quelque chose, atteindre quelque chose, accomplir quelque chose d'utile. Il faudra se résigner à mener sous les yeux de Dieu, en beauté, liberté et sainte allégresse, le jeu de la liturgie que Dieu lui-même a réglé [...].

La liturgie, c'est de la Vie devenue Art[2].

1. « Service de Dieu », en allemand : *Gottesdienst*, traduction habituelle du français « liturgie ».

2. R. GUARDINI, *L'Esprit de la liturgie;* traduction et introduction de R. d'Harcourt, Paris, 1929, p. 223-226.

CHAPITRE VIII

DES LIEUX POUR UNE ASSEMBLÉE CÉLÉBRANTE

> Le peuple de Dieu, qui se rassemble pour la messe, forme une assemblée organique et hiérarchique, et s'exprime par la diversité des fonctions et des actions selon chaque partie de la célébration. Il faut que le plan d'ensemble de l'édifice sacré soit conçu de telle manière à offrir l'image de l'assemblée qui s'y réunit, permettre la répartition harmonieuse de tous et favoriser le juste accomplissement de chaque fonction [PGMR, n° 257].

Dans le chapitre sur la culture, on a déjà évoqué les lieux créés pour l'action liturgique, telles les cathédrales. Il s'agissait là de montrer à quel point la vie liturgique a partie liée avec la culture et y apporte sa contribution. Ici, on traitera de l'organisation de l'espace destiné à la liturgie.

L'Église : l'assemblée des chrétiens et le bâtiment.

Les lieux que l'on appelle habituellement des églises sont destinés en tout premier lieu à recevoir les personnes qui se rassemblent pour la messe ou une autre célébration. Cela nous paraît tout naturel, mais il n'en va pas ainsi dans toutes les religions. En Inde, par exemple, on peut voir de nombreux temples hindous ; certains sont immenses, et splendides. Mais en quoi consistent-ils ? Ils offrent à ceux qui s'y rendent des espaces, souvent assez vastes, des zones de paix où l'on peut agréablement se promener. On y trouve, disséminés ici ou là, des édifices où les fidèles viennent vénérer leurs dieux ; souvent un temple central, plus important, et d'autres, parfois minuscules. Ce qui frappe l'Occidental, imprégné par le christianisme, c'est que la prière elle-même est individuelle ; aucun lieu de rassemblement dans ces temples qui cependant, étant donné leur étendue, pourraient contenir beaucoup de monde.

De même, les temples de l'Antiquité gréco-romaine se présentent comme la demeure d'un dieu, non comme un lieu de rassemblement de ses fidèles. Quant au Temple de Jérusalem, il était le lieu des sacrifices ; il comptait sept zones allant, en sainteté croissante, du parvis des païens au saint des saints. La synagogue, son nom l'indique, est conçue comme une maison où l'on se réunit pour prier.

Par contraste, on prend vive conscience d'une particularité du christianisme, que l'on trouve d'une certaine manière aussi chez les musulmans : la prière se fait en commun. L'assemblée est une caractéristique fondamentale du culte chrétien. Ce sont les premiers mots de saint Paul, quand il écrit aux Corinthiens pour les reprendre vertement à propos de leur manière de célébrer l'eucharistie : « Lorsque vous vous rassemblez en église [...] quand vous vous réunissez en commun... » (1 Co 11, 18.20).

La citation de Paul nous fait d'ailleurs observer que les chrétiens ont pris l'habitude de désigner le lieu de leur rassemblement par le terme qui les qualifie eux-mêmes ; le mot « église », en effet, désigne l'assemblée, et celle-ci a donné son nom à l'espace construit pour l'abriter. Il en est d'ailleurs ainsi chez les juifs également, où le terme « synagogue » désigne la réunion de prière et son local[1].

1. Sur tout cela, on peut lire des pages très intéressantes de P.-M. GY, « Eucharistie et *Ecclesia* dans le premier vocabulaire de la liturgie chrétienne », *La Maison-Dieu*, 130, 1977-2, p. 19-34. L'ambivalence existe aussi dans les langues germaniques, même si le mot *Kirche* dérive de *Kurios*, Seigneur. Il paraît que dans la langue des Grisons l'Église se nomme *basilika* ; on se trouve donc en présence du phénomène inverse, où le nom du bâtiment a fourni celui de l'assemblée.

Tout cela attire notre attention sur une caractéristique fondamentale des espaces de prière chrétiens : ce sont des lieux d'assemblée. La *Présentation générale du Missel romain* le déclare d'entrée de jeu :

> Ces églises ou autres lieux se prêteront à accomplir l'action sacrée et à obtenir la participation active des fidèles [PGMR n° 253, premier paragraphe du chap. V, consacré à la Disposition et décoration des églises pour la célébration de l'Eucharistie].

Organisation de l'espace.

Le plus habituellement, les églises que nous connaissons, celles dont nous avons hérité, sont construites sur le plan basilical. Culturellement, cela vaut déjà la peine d'être noté ; à partir du IVe siècle, lorsque les chrétiens, devenus nombreux, ont eu besoin d'espaces plus grands que des maisons pour leurs rassemblements, ils ont tout simplement adopté les plus grands édifices du monde romain, les basiliques, qui n'avaient rien de religieux ni encore moins de chrétien. Ces bâtiments présentent, après le porche et un éventuel narthex (sorte d'antichambre), un plan axial comprenant une partie plus ou moins longue destinée aux fidèles, et un chœur ou sanctuaire où se déroule l'action liturgique proprement dite. Ce plan n'est évidemment pas banal ; il indique une direction, il inscrit un sens ; quand on entre dans un édifice de ce genre, on est tout naturellement orienté vers les lieux sacrés. C'est le sens des absides ; elles figurent un « espace de gloire » et inscrivent dans le subconscient des personnes qui les contemplent une orientation eschatologique. La vie mène quelque part, nous disent-elles, elle est orientée vers Dieu[1].

1. D'où la gêne que l'on peut ressentir là où manquent ces absides, comme par exemple dans l'église Saint-François d'Assise, à Louvain-la-Neuve, où l'assemblée se trouve située en pente, comme dans un amphithéâtre, face à un mur plat. Cette frontalité, légèrement corrigée par la peinture blanche du mur, derrière l'autel, fait en sorte que, même dans la prière,« on se trouve devant un mur ».

Le plan axial a donc son intérêt. Il présente aussi des limites, notamment le fait que l'assemblée est allongée dans la nef ; les participants se trouvent rangés les uns derrière les autres, sans se voir sinon de dos, ce qui n'est pas l'idéal. Aussi des architectes ont-ils essayé, en ce siècle, dans la foulée du Mouvement liturgique, de bâtir des églises dans lesquelles l'assemblée se trouverait disposée davantage autour de l'autel et des lieux centraux. S'inspirant du Canon romain qui désigne les participants comme des *circumstantes*, « des personnes qui se tiennent debout autour de l'autel », ils ont cherché un « plan enveloppant » où l'assemblée entoure plus ou moins l'autel, de façon semi-circulaire ou sur trois de ses côtés. On ne peut tendre au cercle, dans cette disposition, car il présente par nature un espace clos, inadapté pour l'ouverture aux choses de Dieu et de ses enfants ; tout au plus peut-on aller jusqu'aux trois quarts de cercle. Dans le même esprit, ces architectes ont développé ces dernières années des recherches sur les accès aux lieux, de manière à respecter les transitions et à offrir un itinéraire initiatique. Ils ont encore réfléchi aux diverses fonctions d'un espace liturgique, destiné principalement à abriter l'assemblée célébrante, mais aussi à offrir un espace de prière personnelle, ce qui requiert un aménagement spécifique et une tout autre ambiance [1].

Le sanctuaire et ses lieux spécifiques.

Que voit-on, quand on entre dans une église ? D'abord un espace pour accueillir l'assemblée ; dans un édifice de plan basilical, on l'appelle la nef. Dans le sanctuaire apparaît d'emblée un autel, généralement bien visible ; un ambon ou lieu de proclamation de la Parole de Dieu, qui

1. Pour une plus ample information concernant ce type de problèmes, on lira avec profit les deux ouvrages de Dom Frédéric DEBUYST, *Le Renouveau de l'art sacré, de 1920 à 1962*, Paris, Mame, coll. « Art et foi », 1991 ; *L'Art chrétien contemporain, de 1962 à nos jours*, même éditeur, 1988 ; ainsi que deux livraisons de la revue *La Maison-Dieu : Les Lieux de la liturgie*, n° 193, 1993-1 (assez technique), et *L'Espace liturgique*, n° 197, 1994-1 avec les rapports présentés au congrès de la *Societas liturgica* à Fribourg en 1993.

l'est souvent beaucoup moins ; un siège destiné au président de l'assemblée, qui ne l'est parfois pas du tout. On remarque aussi d'autres pièces de mobilier, comme la crédence ou petite table destinée à déposer des objets nécessaires au culte.

Cette disposition renseigne sur l'action qui peut se dérouler en ces lieux. Un peu comme au théâtre ; lorsque le rideau se lève et laisse apparaître le décor, on imagine d'emblée le genre de pièce à laquelle on va assister. De même, lorsqu'au début de l'eucharistie le prêtre monte à l'autel et va le baiser, on se rend compte que celui-ci sera déterminant pour l'action qui commence. Ou dans des temples protestants, l'élévation parfois surprenante de la chaire indique la prééminence de la Parole de Dieu, qui « tombe » sur l'assemblée.

Notons cependant que l'église ne sert pas seulement à la célébration de l'eucharistie, mais également au baptême, au mariage ou aux funérailles. Dans les églises abbatiales (sinon en toutes), il faut aussi un espace propre pour célébrer la liturgie des heures, ce qui pose des problèmes spécifiques.

Il faut bien reconnaître qu'en nos pays, la logique de l'agencement des lieux est largement incomprise ; la plupart des chrétiens, prêtres aussi bien que les autres, font preuve à cet égard d'un manque flagrant de sensibilité. Comme cela se manifeste-t-il ? Certainement par une polarisation sur l'autel, souvent seul à être mis en valeur. Encore serait-ce acceptable s'il était respecté en sa fonction spécifique. Mais l'autel est souvent utilisé comme une table sur laquelle on dépose n'importe quoi ; on le trouve fréquemment encombré d'un tas de choses, qui vont des revues liturgiques au matériel électronique, et qui nuisent considérablement à sa fonction sacrée. Parfois même, au cours de la célébration, il sert de support à des dessins d'enfants, ou de tribune pour le prêtre qui préfère cet endroit pour s'adresser à l'assemblée, Dieu sait pourquoi (sinon pour employer le micro). Ces vices d'utilisation lui font perdre sa fonction d'autel, lieu des saints mystères et table de la communion chrétienne. D'ailleurs, si on y était plus sensible, supporterait-on la succession de deux, parfois trois autels dans le même chœur, le nouveau n'étant pas toujours le plus digne ?

L'ambon, pour sa part, sert souvent de lieu à tout faire. On y proclame bien sûr la Parole de Dieu, mais on y fait aussi des annonces diverses, quand l'animateur de chants ne l'utilise pas lui aussi pour la direction du chant de l'assemblée. La *Présentation générale du Missel romain* précise cependant bien qu'

> Il ne convient guère que le commentateur, le chantre ou le chef de chœur montent à l'ambon [n° 272].

La conséquence de cette indifférence à la spécificité des lieux est que toutes ces « paroles » se neutralisent les unes les autres, et que la particularité de la Parole de Dieu se perd dans le flot. Tout cela se fait subrepticement, sans le dire ni même le vouloir. Mais c'est bien là le propre de la liturgie ; elle est une action, qui se fait « comprendre » par la manière même dont elle est réalisée. Les actes parlent.

Quant au lieu de présidence, il n'est pas rare de voir des églises qui n'en disposent pas, ou des liturges qui ne l'utilisent pas. On cherche avant tout à se faire entendre ; on prend donc un micro, et le plus souvent celui de l'autel.

D'où vient ce manque de sensibilité ? Tout simplement de la manière de célébrer avant le Concile ; le prêtre n'y utilisait que l'autel, même pour faire les lectures ; s'il ne prêchait pas lui-même, il s'asseyait pendant la prédication, mais ce siège ne remplissait pas la fonction d'un lieu de présidence. Une fois de plus, il faut bien constater que si l'on a le plus souvent appliqué avec enthousiasme les décisions conciliaires, on ne les a pas toujours comprises en profondeur ; aujourd'hui, le résultat se fait sentir.

Des souhaits.

À l'encontre de ce que l'on voit trop souvent, on aimerait donc que les lieux soient organisés en vertu de leur fonction particulière, et utilisés comme tels[1].

Un autel bien visible, puisqu'il est le centre de l'action eucharistique. Pas trop surélevé par rapport à l'assemblée, de manière à ne pas la surplomber, tout en étant cependant visible du fond de l'église sans qu'on attrape le torticolis. Ni trop vaste ; il ne doit pas faire l'effet d'une barrière devant l'assemblée. Existe-t-il une réalisation plus réussie que les petits autels carrés tels qu'on les voit reproduits sur les mosaïques de Ravenne ? On souhaite aussi que l'autel soit situé dans un espace assez vaste (pas nécessairement en son centre), pour qu'il ressorte bien dans sa dignité, qu'il puisse servir harmonieusement lors de la concélébration, et qu'on puisse procéder à d'autres célébrations particulières comme des funérailles, éventuellement des ordinations.

En ce qui concerne l'ambon, il faut plaider en faveur de sa fonction spécifique.

> La dignité de la Parole de Dieu requiert qu'il existe dans l'église un lieu qui favorise l'annonce de cette Parole et vers lequel, pendant la liturgie de la Parole, se tourne spontanément l'attention des fidèles... C'est de l'ambon que sont prononcés les lectures, le psaume responsorial et la louange pascale ; on peut aussi prononcer à l'ambon l'homélie et la prière universelle [PGMR 272].

Concrètement, cela veut dire qu'il faut prévoir un autre lieu, éventuellement un autre micro, pour l'animateur de chants et pour les autres interventions[2].

1. Lire à ce propos l'article de J. GELINEAU, « Les Divers Lieux de la célébration. En relisant la *Présentation générale du Missel romain* », *La Maison-Dieu*, 192, 1992-4, p. 35-43.

2. Voilà encore une manière de faire la différence entre les lectures bibliques et les autres, dans la liturgie. Les textes non bibliques n'en sont pas exclus, mais il faut éviter de les mettre sur le même pied que la proclamation de la Parole de Dieu. La distinction se fait mal lorsque ces lectures se suivent, et sont faites du même endroit. Les textes non bibliques peuvent être lus à d'autres moments que la liturgie de la Parole ; ils ne doivent pas être proclamés à partir de l'ambon.

Quant à la présidence, il convient qu'elle soit moins centrale que l'autel, et cependant bien présente. Car toute assemblée aime voir celui qui la préside et lui parle. Mais aussi parce que le prêtre représente sacramentellement le Christ. La *Présentation générale du Missel romain* prévoit que l'homélie se fasse au siège ou à l'ambon (n° 97).

On aimerait enfin que lors des célébrations il y ait une diversité de ministres : diacre, lecteurs, chantres, acolytes. Car souvent, de la nef, on ne voit qu'un seul homme dans le chœur ; il s'époumone à faire comprendre qu'on forme le peuple de Dieu, mais il offre la vue d'un individu isolé.

La présence d'un diacre, notamment, est encore (trop) peu fréquente. Généralement on réagit à ce propos du point de vue des personnes : le diacre lui-même qui aime ou non se tenir à l'autel, le prêtre et l'assemblée qui ont leur opinion sur la chose. Mais encore une fois il existe un autre point de vue, objectif et ecclésial. Car la liturgie rend visible ce qu'est l'Église. Sans la présence du diacre, l'eucharistie est privée du signe sacramentel de la charité. Comme l'ambon fait voir la place inaliénable de la Parole de Dieu dans l'Église, la présence du diacre montre que la charité est une dimension constitutive du Peuple de Dieu.

La technique.

Faut-il en parler ? Oui, puisqu'elle existe, et contribue à la réalisation des célébrations. Mais j'aimerais plaider assez radicalement contre son utilisation dans la liturgie. Pourquoi donc ? Parce que trop souvent elle constitue un obstacle plutôt qu'une aide. Elle crée des dysfonctionnements, auxquels on ne s'habitue que trop facilement.

Il s'agit principalement de la sonorisation et de la musique enregistrée. Dans les grandes églises, une amplification sonore est nécessaire, c'est l'évidence même. Mais elle est devenue une mode, qui s'est imposée en de nombreux édifices où elle n'est pas indispensable, où parfois même elle se révèle gênante. Ainsi, sa mauvaise utilisation crée parfois une telle différence de volume sonore entre l'utilisateur du micro et l'assemblée que celle-ci ne peut prendre conscience d'elle-même, écrasée qu'elle se trouve par le son des amplificateurs. C'est parfois le cas lors du *Notre Père*, alors qu'il est si impressionnant pour une assemblée de s'entendre demander ensemble « Que ton règne vienne »... Quand l'orgue renchérit, cela devient catastrophique, par exemple lors des répons de la prière universelle. Sans compter que les lecteurs n'utilisent pas toujours judicieusement les micros ; certains sont mal réglés ; ils sifflent, ou tombent en panne...

Quant aux cassettes et autres « musiques en boîte », il faudrait tout faire pour ne pas les utiliser. Car l'habitude se crée par là même de ne plus même penser faire appel aux ressources de l'assemblée, à ses possibilités actuelles ou futures. Or l'expérience prouve qu'une assemblée est toujours beaucoup plus impressionnée par une musique réalisée sur le vif, pour la circonstance, par des participants qui y mettent le meilleur d'eux-mêmes ; cela crée un phénomène d'entraînement.

Ce ne sont donc pas tant les moyens techniques eux-mêmes qu'il faut critiquer que leur utilisation abusive ou trop facile, avec les conséquences que cela provoque à long terme sur la liturgie. Alors qu'on assiste aujourd'hui à un tel engouement pour la musique, ne se trouverait-il personne, dans l'assemblée qui pourrait, aujourd'hui ou peut-être demain, soutenir la lecture du psaume de quelques notes de flûte ? Et si vraiment on ne peut se passer de moyens techniques, qu'on les utilise à bon escient : sans transformer l'autel en table de mixage, et avec l'assistance d'une personne compétente, prête à intervenir en cas de besoin.

« Face au peuple » ou devant Dieu ?

« L'autel face au peuple » a été sans conteste la réforme qui a le plus marqué l'opinion, lors de son introduction dans les années 60. Que n'en a-t-on pas discuté, à l'époque ! Ces discussions ne sont d'ailleurs pas encore achevées, et la question reste sensible. Remarquons toutefois que l'orientation de la prière n'est pas une question spécifiquement chrétienne ; les juifs prient en se tournant vers Jérusalem, les musulmans vers La Mecque.

Dans l'Antiquité, on abordait cette question à partir de l'« orientation » des églises ; beaucoup étaient en effet tournées vers l'orient, lieu du soleil levant, lieu symbolique de la Résurrection. Se tourner vers l'orient pour la prière, c'était une manière de faire comprendre que l'on s'adressait au Seigneur ressuscité. Le problème de l'orientation des églises elles-mêmes est une question complexe dans laquelle nous n'entrerons pas ici.

Actuellement, on aborde trop la question en fonction de la personne du prêtre ; c'est de lui dont on dit qu'il est dos ou face au peuple. Une fois de plus, on se trouve là en présence d'un héritage clérical. On entre avec plus de justesse dans la question en s'interrogeant sur les fonctions liturgiques ; quelles actions est-on censé accomplir, et quelle est la manière la plus satisfaisante de les réaliser ?

Le plus normalement du monde, on fait face aux personnes à qui l'on adresse la parole. On ne formulera donc aucune objection à l'égard du prêtre qui regarde les personnes auxquelles il s'adresse, lors de la salutation initiale ou de l'homélie par exemple. Pour l'annonce de la Parole, la position frontale prend même valeur théologique, car la Parole nous ad-vient ; le lecteur qui proclame la Parole représente sacramentellement le Seigneur qui parle à son peuple.

Mais pour la prière ? Sa définition même implique le fait d'être adressée à Dieu ; il n'est donc pas indispensable que le prêtre se tourne vers l'assemblée, lorsqu'il prie avec elle et en son nom.

Le premier pas à faire, pour poser sereinement la question de la position du prêtre à l'autel et dans le sanctuaire, consiste donc à distinguer les fonctions liturgiques, notamment celles qui s'adressent à l'assemblée et celles qui s'adressent à Dieu. Le piège de la position frontale est de transformer la prière en discours à l'assemblée, puisque le prêtre est tourné vers elle, comme lorsqu'il lui parle.

Le problème étant ainsi analysé, on se rend compte que la question s'est déplacée. Elle ne consiste plus à savoir s'il convient que le prêtre soit face ou dos au peuple, lors de la prière, mais à faire saisir de quel type d'action il s'agit ; à faire comprendre, par la disposition des lieux et des personnes, que l'on prie, c'est-à-dire, encore une fois, que l'on s'adresse à Dieu. Pour prier, l'assemblée entière, prêtre compris, peut être tournée dans le même sens et regarder vers l'abside ; c'est la position « dos au peuple », si on persiste à l'appeler ainsi, mais on perçoit bien maintenant que cette expression n'est pas adéquate et reste à la superficie du problème. Orientée vers l'espace de gloire, la prière des chrétiens acquiert une dimension eschatologique ; le destinataire est figuré devant eux, dans un a-venir.

La « prière face au peuple » est une expression à proscrire, car elle tombe dans le piège dénoncé plus haut : la prière, en soi, ne s'adresse pas à l'assemblée. En fait, dans cette position, l'autel se trouve entre le prêtre et l'assemblée, et dans une église circulaire ou à plan enveloppant, on saisit presque spontanément ce que cela figure : le destinataire divin n'est plus devant nous, mais au milieu de nous. Cela prend tout son poids lors de la prière eucharistique, quand les saints dons se trouvent sur l'autel ; ce sont eux qui sont au centre ! « Christ au milieu de nous, l'espérance de la gloire ! » (Col 1, 27).

Transcendance et immanence.

On se trouve donc devant deux manières de figurer la présence de Dieu dans l'assemblée, l'une plus eschatologique et transcendante, l'autre plus actualisée et immanente. On comprendra qu'il ne s'agit pas de choisir entre l'une ou l'autre de ces figures, mais qu'elles portent toutes deux des valeurs. La liturgie elle-même ne fournit-elle pas encore une fois la clé du problème ? Le dialogue d'introduction à la prière eucharistique ne dit-il pas : « Haut les cœurs ! — Nous les tournons vers le Seigneur » ? Pour leur part, certains sermons de saint Augustin se terminent par l'expression « *Conversi ad Dominum* », « tournés vers le Seigneur » ; la fonction de ces termes n'est pas toujours claire, mais leur sens est limpide : la prière consiste en une conversion du cœur vers Dieu, qu'elle soit ou non accompagnée d'une conversion corporelle. Si celle-ci a jamais existé, elle ne fut que l'expression gestuée de celle-là.

Comment favoriser les deux dimensions, immanente et transcendante ? Va-t-on changer la position du prêtre à l'autel de dimanche en dimanche ? Non, bien sûr. Mais on peut améliorer les choses, lors des oraisons par exemple ; en de nombreuses églises, il est possible que le prêtre, lors de la prière d'ouverture notamment, se tourne vers l'abside, la croix ou tout autre objet figurant la présence divine. Cette « conversion » modifie beaucoup de choses ; elle transforme la lecture d'une oraison dans un missel en un acte de prière de l'assemblée ; elle le fait, une fois de plus, à l'économie, sans grand discours. L'homélie pourra éventuellement reprendre un jour la question, après les observations entendues. Ou encore, dans des espaces restreints, avec de petits groupes où la frontalité est d'ailleurs parfois difficile à supporter, le prêtre peut assez facilement se placer devant l'autel, au centre, avec les quelques personnes de l'assemblée à sa gauche et à sa droite, tous tournés dans la même direction, priant Dieu vers qui ils élèvent leur cœur. À l'expérience, une certaine diversité dans les manières de faire favorise la compréhension de la liturgie.

L'aménagement des églises.

La dernière question que nous envisagerons à propos de l'espace est celle de l'aménagement des édifices qui n'ont pas été pensés en fonction de la conception de l'Église promue par Vatican II. On ne dressera pas ici tout un programme à cet égard ; on se contentera d'attirer l'attention sur quelques points.

Les lieux du baptême.

D'abord sur le fait que l'église ne sert pas qu'à la célébration de l'eucharistie, mais aussi à celle des autres sacrements. Il est urgent aujourd'hui de penser à nouveau au baptême, à celui des petits enfants comme à celui des adultes. En beaucoup d'endroits, les lieux du baptême se trouvent dans un état lamentable ; les anciens fonts baptismaux ne servent plus, sinon de dépotoir, et les nouvelles manières de faire ne sont pas toutes heureuses, par exemple les chaudrons à confiture posés sur l'autel. Et l'on se prend à rêver à l'Église ancienne, qui a inscrit dans des pierres l'importance des deux sacrements primordiaux, le baptême et l'eucharistie. Tout le monde connaît, ne fût-ce que pour l'avoir vue sur des cartes postales, l'esplanade de Pise, avec le baptistère et l'église ; l'existence même de ces deux bâtiments exprime, architecturalement, l'importance fondatrice du baptême, entrée dans la communauté d'Église et de l'Eucharistie, lieu de sa communion. Après la guerre, quelques églises ont été bâties avec des lieux pour le baptême, à Audincourt notamment, mais on ne peut pas dire que l'exemple ait été largement suivi. C'est une lacune.

Le lieu du baptême n'est pas si facile à situer dans une église, surtout quand on n'y a pas pensé lors de la construction. À l'expérience, il semble cependant que le fond de l'église soit le lieu le plus approprié ; il permet, lors de la célébration du baptême, d'y faire l'accueil, de se grouper en un lieu spécifique pour écouter la Parole, de se rendre aux fonts baptismaux, puis de monter à l'autel pour dire ensemble le *Notre Père*, dans l'anticipation de l'eucharistie. Et lors de toute autre célébration, les chrétiens trouvent, à l'entrée de l'église, le rappel du baptême, fondateur de leur identité chrétienne.

La chose n'est pas trop ardue quand on en reste au baptême des enfants. Mais vu l'accroissement impressionnant du nombre de catéchumènes adultes, il est grand temps de réfléchir à des lieux appropriés pour le baptême des adultes. L'inclinaison de la tête et du tronc au-dessus des fonts n'évoque pas au mieux la résurrection baptismale. Les bains réalisés par certains groupes baptistes ont au moins l'avantage de nous montrer que le réalisme ne fait pas toujours bon ménage avec la symbolique. Mais comment faire pour figurer le passage dans la mort et la Résurrection du Christ, d'une manière simple, digne et décente ? Il faut y songer.

On ne dira qu'un mot des lieux adaptés à la célébration personnelle du sacrement du pardon. Dans nos pays, on abandonne assez généralement les confessionnaux, qui dataient du XVIe siècle. En ville, dans les lieux de grand passage, on trouve souvent en permanence la présence d'un prêtre ; ici ou là, on a aménagé des sortes de parloirs, qui tentent plus ou moins bien d'allier la discrétion requise et la dimension toujours ecclésiale du sacrement. Ici aussi, la recherche doit se poursuivre.

Édifices trop petits ou trop grands.

On terminera en examinant la plainte de nombreuses personnes à propos de la taille de leur église. Beaucoup gémissent d'hériter de bâtiments trop vastes ; certains au contraire se sentent à l'étroit. On entend rarement s'exprimer ceux qui tirent parti des ressources propres du lieu qu'ils habitent.

La voie de solution consiste effectivement à utiliser au mieux les espaces donnés et, selon la formule magique, à transformer les contraintes en ressource. Les (trop) petits lieux offrent au moins l'avantage d'une certaine intimité, d'une familiarité voire d'un coude à coude qui permet beaucoup de choses, en créant d'emblée des liens entre les personnes. Les contraintes sont fortes, mais les relations humaines risquent bien de pouvoir compenser.

Existe-t-il des lieux trop grands ? On pourrait au moins songer à les utiliser pleinement. Par exemple en créant deux espaces différents, l'un pour la Parole, pour son écoute méditative et pour son partage ; l'autre pour l'eucharistie. En certains endroits, cette disposition se révèle très satisfaisante ; elle permet d'abord d'imprimer à l'eucharistie un mouvement et une dynamique puisqu'il faut se déplacer pour « se tourner vers le Seigneur » ; de plus, les membres de l'assemblée se trouvent en position de *circumstantes*, de personnes debout autour de l'autel, libres pour rendre grâces à Dieu ; enfin, ils célèbrent l'eucharistie dans une attitude plus communionnelle, et « comprennent » mieux que l'eucharistie fait l'Église.

Une autre manière d'utiliser des lieux réputés trop vastes est d'y organiser des mouvements et des processions qui figurent la marche du peuple de Dieu. On est stupéfait, en étudiant l'histoire, de constater à quel point ces mouvements ont été chose commune, à certaines époques.

Il n'y a pas de recettes dans ce domaine, car il n'existe pas deux lieux semblables, ni deux communautés identiques. Mais il ne faut pas craindre un peu d'imagination !

CHAPITRE IX

COMMENT FAIRE L'EXPÉRIENCE DE LA LITURGIE ?

Liturgie et vie spirituelle

> Il est très souhaitable qu'elle [la prière de l'Église] imprègne, vivifie, pénètre profondément toute la prière chrétienne, qu'elle l'exprime et qu'elle alimente efficacement la vie spirituelle du Peuple de Dieu [1].

J'ai plaidé jusqu'ici pour l'intelligence de la liturgie [2]. Mais comment s'approprier ses richesses ? Comment faire en sorte qu'elle nous touche, et qu'elle structure notre être chrétien ? J'essayerai de montrer dans ce chapitre comment un chrétien ou une chrétienne peut acquérir une personnalité spirituelle en goûtant aux sources liturgiques [3].

On s'interrogera donc sur la manière de « prier » la liturgie. On a déjà attiré l'attention, plus haut, sur la différence entre prière personnelle et prière liturgique. Ici, il s'agit de voir comment celle-ci peut nourrir celle-là. On prendra l'exemple de la prière eucharistique [4], et l'on se

1. Constitution apostolique *Laudis canticum* promulguant l'Office divin, n° 8.

2. Le présent chapitre est une refonte d'un article publié dans la revue *Carmel* sous le titre « Prière eucharistique et vie spirituelle. L'institution du sujet chrétien par la prière eucharistique », n° 73, 1994-3, p. 61-70. Je remercie l'éditeur et le comité de la revue d'avoir autorisé la présente reprise.

3. Dans le même sens, on peut lire l'article de P. JOUNEL, « Liturgie et prière », *Catéchèse*, n° 90, 1983, p. 31-40 ; repris dans son recueil *Liturgie aux multiples visages. Mélanges*, Rome, 1993, p. 385-394.

4. Précisons que nous entendons ici par « prière eucharistique », avec la *Présentation générale du Missel romain,* la prière qui va du dialogue de la préface à la grande doxologie avant le *Notre Père*.

demandera quelle stature chrétienne on peut atteindre par la participation à l'eucharistie, plus précisément encore par l'entrée en son acte central.

La perspective peut paraître étrange. Elle se révèle en tout cas peu fréquente, tant la liturgie est encore assimilée par beaucoup à un devoir, à un « office » qui, une fois terminé, peut enfin laisser place à la vie spirituelle et à l'oraison. On s'inscrira en faux contre pareille vision, et l'on fera comprendre, en conclusion, le caractère dramatique de cette scission.

On se limitera à la prière eucharistique, car elle est le cœur de la messe. Mais on pourrait bien sûr prolonger la réflexion pour l'ensemble de l'eucharistie, ou pour le baptême (en se demandant, par exemple, comment on devient chrétien : par quels gestes, par quelles paroles... ?). On prendra l'exemple de la prière eucharistique II du Missel romain, car elle est la plus simple ; il ne serait pas difficile de poursuivre la réflexion avec d'autres prières.

Le dialogue de la préface.

On l'a déjà étudié dans le chapitre sur l'Église, car il assure la dimension ecclésiale et non exclusivement sacerdotale de la prière. On prendra ici un point de vue plus personnel : comment l'entendre, le recevoir, le vivre ? Quelle attitude intérieure adopter ?

« Le Seigneur soit avec vous. » Cette adresse à l'assemblée nomme les deux partenaires principaux de l'action qui commence, à savoir le Seigneur et l'assemblée ; le prêtre qui prononce le souhait n'est pas explicitement nommé : il n'est que le ministre de l'action, et il fait partie de l'assemblée à laquelle il s'adresse, comme l'indique la suite du dialogue.

La phrase contient un vœu, qui dit la présence du Seigneur à son peuple, comme Booz l'a dite aux moissonneurs (Rt 2, 4), comme l'ange l'a dite à Marie (Lc 1, 28).

Voilà bien la manière de la liturgie ; dans ce souhait qu'on pourrait croire banal puisqu'on l'a entendu si souvent, elle nous fait la même annonce que l'ange à Marie ! Le Seigneur est avec nous ; le message ne serait-il pas susceptible de nous réjouir ? C'est dire aussi que la « présence » du Christ ne commence pas avec la consécration, mais avec le rassemblement (Mt 18, 19) et la proclamation de la Parole de Dieu. Il faut relire ici le numéro 7 de la constitution sur la liturgie, si important pour ne pas être victime de vues réductrices sur la présence de Dieu à son peuple :

> Pour l'accomplissement d'une si grande œuvre, le Christ est toujours là auprès de son Église, surtout dans les actions liturgiques. Il est là présent dans le sacrifice de la messe, et dans la personne du ministre, « le même offrant maintenant par le ministère des prêtres, qui s'offrit alors lui-même sur la croix » et, au plus haut point, sous les espèces eucharistiques. Il est là présent par sa vertu dans les sacrements, au point que lorsque quelqu'un baptise, c'est le Christ lui-même qui baptise. Il est là présent dans sa parole, car c'est lui qui parle tandis qu'on lit dans l'Église les Saintes Écritures. Enfin il est là présent lorsque l'Église prie et chante les psaumes, lui qui a promis : « Là où deux ou trois sont rassemblés en mon nom, je suis là, au milieu d'eux. »

« Et avec votre esprit. » L'assemblée répond au vœu du prêtre, lui souhaitant que le Christ soit présent à la partie la plus spirituelle de son être. La réponse ainsi mise sur nos lèvres invite à ne pas considérer celui qui a prononcé le souhait comme meilleur, plus saint ou plus malin que les autres, mais comme quelqu'un qui a reçu l'Esprit Saint pour accomplir dans l'Église cet acte de prière. Le prêtre et l'assemblée sont situés à leur juste place, dans une saine relation.

« Élevons notre cœur. » Voici que prêtre et assemblée s'unissent maintenant pour réaliser une action commune ; tandis que les deux premières phrases du dialogue comportaient des vœux adressés l'un à l'assemblée et l'autre au prêtre, les suivantes s'expriment en « nous », première personne du pluriel, caractéristique de la prière liturgique.

« *Sursum corda* » — « Haut les cœurs ! » La parole invite à une attitude, à la fois corporelle et spirituelle comme toujours en liturgie ; nous sommes conviés à nous lever, à prendre la position des ressuscités, les pieds sur la terre mais la tête tournée vers le ciel. « Du moment que vous êtes ressuscités avec le Christ, exhorte saint Paul, recherchez les choses d'en haut, là où se trouve le Christ, assis à la droite de Dieu » (Col 3, 1).

« Nous le tournons vers le Seigneur. » La réponse précise l'invitation précédente : l'élévation de nos cœurs consiste à les tourner vers le Seigneur. Elle exprime la conversion de l'assemblée, qui se tourne vers son Seigneur dans une attitude qui indique bien les dispositions de la prière. Le verbe, on le remarque, est plus actif que dans l'original latin qui disait : « Nous les avons vers le Seigneur. » La réponse, en outre, évoque ce jour baptismal où nous nous sommes dé-tournés du mal pour nous con-vertir à Dieu, par son Christ, dans son Esprit et dans l'Église. La conversion, on s'en rend compte, est plus que morale ; elle nous prend en nos fondements.

« Rendons grâce au Seigneur notre Dieu. » Voici indiqué le but de l'action pour laquelle nous sommes réunis. Le verbe « rendre grâce » n'est pas toujours bien compris ; il veut dire « faire eucharistie [1] ». Il ne signifie pas exactement la même chose que « remercier », car le remerciement peut encore n'être centré que sur soi-même : on remercie l'autre pour ce qu'on a reçu de lui. L'action de grâce, quant à elle, est tout entière tournée (voir la phrase précédente) vers l'autre, le louant pour ce qu'il est. L'action de grâce, on le comprend, ne peut être le premier acte de la prière ; elle suppose des préalables, qui dans l'eucharistie, de fait, prennent la forme du rassemblement et surtout de l'écoute de Dieu. Comment rendre grâce à

1. On remarquera que le latin a adopté du grec le substantif *eucharistia*, mais pas le verbe *eucharistiare* ; il a préféré *gratias agere*. De même en français on ne dit pas, sauf dans le jargon liturgique, eucharistier, mais rendre grâce. Il est essentiel de savoir que ce sont des synonymes.

Dieu sans l'avoir entendu, écouté, rencontré ? Comment, un jour d'enterrement, oser chanter une action de grâce, si l'on n'a pas découvert le mystère de la Vie ?

« Cela est juste et bon. » L'assemblée marque son accord. Elle se déclare prête à réaliser le programme annoncé et à chanter à Dieu son action de grâce. Celle-ci constitue la ligne de fond dc la prière, qui sera plusieurs fois rappelée, comme nous le verrons ultérieurement.

Ce petit dialogue initial, on s'en rend compte, est plus riche qu'on ne le soupçonne habituellement. Que réalise-t-il, du point de vue qui est le nôtre, celui de l'instauration d'un sujet spirituel ? L'entrée dans le dialogue constitue le sujet de trois manières. D'abord comme partenaire du Seigneur, qui lui dit sa présence, son ad-venue ; c'est le fondement même de la prière, qui consiste à s'adresser à quelqu'un. Or celui-ci, en christianisme, n'est pas à chercher désespérément ; c'est lui qui fait le premier pas.

Le dialogue, ensuite, nous situe avec d'autres, au sein d'une assemblée constituée en « nous » ; la prière ne se fait jamais en solitaire, mais comme membre du peuple de Dieu.

Enfin ces trois souhaits et leurs réponses nous introduisent dans un projet commun : élever nos cœurs pour rendre grâce au Seigneur notre Dieu.

Ainsi donc, dans la présence du Ressuscité, une assemblée est constituée, qui va se lancer dans l'action de grâce. C'est le prêtre qui énoncera la prière ; il le fera non pas en son nom personnel, mais au nom de toute l'Église[1], qui vient de reconnaître son aptitude (« Et avec votre esprit ») et de donner son accord (« Cela est juste et bon »).

Qu'avons-nous donc à faire, pour entrer dans cette prière ? Recevoir le souhait du prêtre qui nous dit la présence du Seigneur ; à certains jours, cette première phrase pourra même nous suffire, et la suite de la prière

1. Les théologiens utilisent à ce propos l'expression *in persona Ecclesiae* : le prêtre s'exprime comme porte-parole de toute l'assemblée.

constituera comme des variations sur ce thème premier. Nous sommes cependant invités à répondre au vœu exprimé par le prêtre, et à reconnaître en lui l'Esprit qui le qualifie pour effectuer le ministère qu'il exerce en ce moment. Puis nous avons à élever notre cœur et à le tourner vers le Seigneur, ce qui représente toute l'œuvre de notre baptême. Enfin nous disons notre accord au programme annoncé : nous sommes prêts à rendre grâce !

La préface.

Maintenant que le dialogue a préparé l'assemblée à la louange, et qu'elle a dit son accord au projet énoncé, le prêtre se lance en son nom dans l'action de grâce. Il amplifie les paroles précédentes, en disant : « Vraiment, il est juste et bon de te rendre gloire... » Surtout, il en indique les raisons ; la préface consiste principalement en l'énoncé de motifs qui justifient la louange. Ceux-ci sont souvent les œuvres du Christ ; la première phrase s'achève fréquemment par les mots : « par le Christ, notre Seigneur », et la préface se poursuit par la proclamation des merveilles de Dieu réalisées en son Fils. C'est le cas de la préface qui fait normalement partie de la prière eucharistique II ; elle poursuit en disant : « Car il est ta Parole vivante par qui tu as créé toutes choses... » Pour leur part, les préfaces de Pâques chantent avec allégresse : « Vraiment, il est juste et bon de te glorifier, Seigneur, en tout temps, mais plus encore en ces jours où le Christ, notre Pâque, a été immolé... »

Parfois, et c'est plus souvent le cas en Orient, la préface ne mentionne pas d'emblée le Christ, mais commence par louer Dieu lui-même. C'est ce que font les préfaces des dimanches ordinaires V à VII, des préfaces communes II et IV, et surtout de la prière eucharistique IV : « car tu es le seul Dieu, le Dieu vivant et vrai : tu étais avant tous les siècles, tu demeures éternellement, lumière au-delà de toute lumière[1]. »

On s'en rend compte : le ton, ici, doit être lyrique, car le propos ressemble plus à une lettre d'amoureux qu'à un traité de théologie ; il convient même, quand c'est possible, que la préface soit chantée, car le chant exprime mieux la nature de l'acte que l'on accomplit, et il réveille nos capacités d'émerveillement. Ainsi l'action de grâce se réalise, tout en énonçant les motifs qui la fondent ; elle débouche même dans le chant des anges, puisque la préface se termine par ces mots : « C'est pourquoi, avec les anges et tous les saints, nous proclamons ta gloire, en chantant... »

Saint, saint, saint le Seigneur.

Avec l'accord de l'assemblée, le prêtre a exposé les motifs de la louange de Dieu. Voici que l'assemblée, mise pour ainsi dire sous tension, ne se retient plus et acclame le Dieu trois fois saint. Acclamation, exclamation, sorte d'applaudissements, dont on comprend qu'ils doivent normalement être chantés ; c'est en effet, on le saisit maintenant, le chant le plus important de toute la messe.

L'assemblée acclame son Dieu non pas en un cri spontané, mais par une citation. C'était déjà le cas du premier souhait du prêtre, qui reprend la salutation de l'ange à Marie. Ici, la citation reprend le chant des quatre Vivants de l'Apocalypse, « qui ne cessent de répéter jour et nuit : Saint, Saint, Saint, Seigneur, Dieu maître de tout, Il était, Il est, Il vient » (Ap 4, 8). Les chrétiens donnent donc de l'ampleur à leur chant en l'inscrivant dans celui des Vivants. Ceux-ci à leur tour reprennent le cantique des séraphins, qui se crient l'un à l'autre ces paroles : « Saint, saint, saint est Yahvé Sabaot. Sa gloire remplit toute la

1. Les thèmes des préfaces ont été bien mis en lumière par D. DUFRASNE, « Les Richesses de l'action de grâce eucharistique », *La Maison-Dieu*, 175, 1988-3, p. 53-78.

terre » (Is 6, 3). Ainsi donc le chant de notre assemblée — même (et surtout !) si elle ne compte que quelques personnes qui chantent mal — est amplifié par celui des anges et des saints ; notre liturgie terrestre est unie à la liturgie céleste, pour que Dieu soit loué comme il mérite de l'être. De plus nous nous unissons à tous les chrétiens de par le monde qui, par le même chant, expriment la fine pointe de leur attitude spirituelle. Toute l'Église s'unit pour reconnaître Dieu dans sa caractéristique essentielle, sa sainteté.

La réalisation d'un projet aussi ambitieux n'est pas facile ; l'acclamation doit être à la fois joyeuse et pleine de réserve mystique ; elle peut faire appel aux grandes orgues, mais doit viser à la plus profonde intériorité. Les prêtres saisiront que ce n'est pas le moment de chercher dans le missel la page de la prière qui suit...

Le texte liturgique a adapté les paroles bibliques, en disant : « *Le ciel et* la terre sont remplis de ta gloire. » Il s'agit bien sûr d'une affirmation de foi, non d'un constat scientifique. Au chant du *Sanctus*, nous ajoutons encore : « Béni soit Celui qui vient au nom du Seigneur » (Ps 117, 25-26 ; Mt 21, 9). Celui qui vient, c'est le Christ ; le verset assure ainsi la transition vers la suite de la prière.

Que devenons-nous, par cette louange et ce chant ? Comment notre être spirituel en est-il affecté ? Nous apprenons à louer Dieu, grâce aux mots qui nous sont offerts dans la préface (le Missel en compte plus de quatre-vingts !). Et avec les anges et tous les saints, nous sommes invités à chanter le Dieu trois fois saint, ce qui n'est pas banal. Ainsi notre être intérieur se trouve constitué par l'évocation des merveilles de Dieu au long de l'histoire du salut, dont il est fait témoin et bénéficiaire. Son identité se forge dans son rapport à Dieu qu'il apprend à découvrir comme auteur de prodiges (Ps 144), et qu'il acclame par un chant qui le transporte sur les nuées du ciel. Se pourrait-il qu'il reste indifférent à ce mouvement spirituel ?

Toi qui es vraiment saint.

Le prêtre poursuit la proclamation de la prière par des mots charnières ; ils reprennent les termes les plus importants du chant, et les amplifient encore (« Toi qui es la source de toute sainteté »), pour faire la transition de la louange à une prière de demande. On entend dire en effet : « Sanctifie ces offrandes en répandant sur elles ton Esprit. » La nomination de l'Esprit Saint est essentielle ; elle donne à la prière une structure trinitaire, et va nous révéler l'œuvre de l'Esprit dans l'eucharistie, ce à quoi on ne nous a guère rendus attentifs, dans la formation chrétienne habituelle. Car il ne s'agit pas d'une simple nomination de l'Esprit, mais d'une demande pour que, par lui, Dieu sanctifie les dons que nous avons apportés[1]. L'objet de cette sanctification est annoncé sans retard : « qu'elles deviennent pour nous le corps et le sang de Jésus, le Christ, notre Seigneur. » On prie pour que l'action du Christ, dont on va faire mémoire, soit vivifiante pour nous.

Notre sujet spirituel apprend donc, par la prière faite en son nom, qu'il va être témoin, mieux : partie prenante d'une sanctification des dons qui se fera à son profit : « pour nous ». On ne lui propose rien de moins que l'entrée personnelle dans le mystère du Christ, qui...

... au moment d'être livré...

La prière, jusqu'ici, s'exprimait au présent : « Nous te rendons grâce. » Elle passe maintenant au passé : « il prit

1. Les liturgistes appellent cette prière une *épiclèse*, c'est-à-dire une demande adressée à Dieu pour qu'il envoie son Esprit. La prière eucharistique en compte deux : l'une ici en vue de la sanctification des dons, l'autre après la consécration en vue de la sanctification de ceux et celles qui vont recevoir les dons sanctifiés. On trouvera des réflexions plus développées sur le rôle de l'Esprit dans la liturgie et dans la prière eucharistique dans l'article de M.-J. POIRÉ, « L'Esprit qui sanctifie les dons et l'Église », *La Maison-Dieu,* 201, 1995-1, p. 35-55 ; ce numéro est entièrement consacré à la dimension sanctificatrice de la liturgie.

le pain... » Le récit, comme il se doit, raconte un événement du passé. Mais on l'énonce aujourd'hui ; on l'actualise en en faisant mémoire, et plus profondément encore grâce à l'Esprit invoqué préalablement. Cette construction littéraire correspond parfaitement au *mémorial* de la mort et de la Résurrection du Seigneur que nous célébrons dans l'eucharistie ; car si la mort du Christ en croix est un événement du passé, qui s'est produit « une fois pour toutes » comme dit l'épître aux Hébreux (10, 10), la force du rituel eucharistique est de nous faire participer aujourd'hui à sa mort et à sa Résurrection. Comment entendre ce récit ?

Devant sa mort prochaine, devant ceux qui le *livrent* à la mort, Jésus *se livre* lui-même entre les mains du Père, montrant ainsi jusqu'où peut aller l'amour de Dieu. Cette autodonation, il l'exprime en un geste, la fraction du pain, symbole de la fraction de sa vie, et il nous fait participer à cet acte en disant : « Prenez, mangez... buvez... » C'est-à-dire : communiez à ce qui m'advient, à ce que je vis en ce moment crucial, au retournement de la malice des hommes qui est en train de se produire, puisqu'à leur condamnation je n'oppose pas la vengeance mais le dessaisissement de moi-même. « Car nul n'a d'amour plus grand que celui qui se dessaisit de sa vie pour ceux qu'il aime » (Jn 15, 13). Comme le dit simplement la deuxième prière eucharistique pour assemblées avec des enfants : « Il [Jésus, ton Fils] nous dit de faire à notre tour ce qu'il a fait lui-même la veille de sa passion. »

Sans doute sommes-nous trop habitués à ne prêter attention qu'à la consécration. Mais elle se comprend mal si l'on ne regarde pas d'abord l'acte de Jésus lui-même et l'intention qu'il exprime. Ce n'est pas premièrement le lieu des considérations métaphysiques ; c'est la vie d'un homme qui se joue, et la nôtre à sa suite.

Inséré au cœur de la prière, le récit en forme le centre, car il exprime le motif le plus décisif pour lequel nous rendons grâce à Dieu. Le récit dit comment Jésus nous donne sa vie par la fraction du pain, et il nous invite, nous qui le récitons, à communier à cet acte du Christ. Communier, c'est-à-dire au moins recevoir le témoignage de l'amour infini qui se déploie ici (recevoir, correspondant à « prenez »), et, s'il est possible, nous associer à son geste, nous dessaisir de notre propre vie comme lui de la sienne, entrer dans la logique évangélique de la désappropriation, ou encore, comme le dit saint Paul, développer en nous « les mêmes sentiments qui furent dans le Christ Jésus » (Ph 2, 5). Existe-t-il, après le baptême, une entrée plus profonde dans le mystère du Christ? On ne sort pas indemne du passage dans la prière eucharistique [1] !

Faites ceci en mémoire de moi. — Faisant mémoire...

La succession de ces deux phrases met bien en relief la relation entre l'action du Christ et notre participation [2] ; nous mettons en œuvre la parole de Jésus. Comme le dit fort bien la prière eucharistique I pour assemblées avec des enfants : « Ce que Jésus nous a dit de faire, nous le faisons dans cette eucharistie. » Nous faisons mémorial, c'est-à-dire nous nous unissons à la re-présentation de la vie du Christ en ce qu'elle a de plus central, sa mort et sa Résurrection. Et pour le faire nous présentons à Dieu le pain qui donne la vie (Jn 6) et la coupe du salut (Ps 115, 13) ; nous sommes nous-mêmes pris dans cette offrande, comme le dit de manière étonnante la prière eucharistique

1. On aura remarqué que nous n'avons utilisé qu'une fois le terme « consécration ». Il ne fait pas partie du récit, sauf dans l'épiclèse de la prière eucharistique III. C'est un mot qui appartient au vocabulaire théologique plus qu'à celui de la prière. Il exprime la transformation des oblats, mais il ne dit rien de l'attitude du Christ dont on accomplit le mémorial, ni de celle qui est souhaitée de notre part. Il représente bien sûr une dimension essentielle de l'eucharistie, mais pas la seule. La considération exclusive de la consécration a malheureusement fait oublier tout le reste du mystère eucharistique ; c'est sans doute la raison la plus profonde pour laquelle « nous ne savons que faire », lors de la prière eucharistique, et le motif de notre surprise que la vie spirituelle puisse y être intéressée.

2. Malheureusement, l'acclamation d'anamnèse, introduite entre les deux phrases, oblitère cette relation. On remarquera que, dans les prières eucharistiques pour assemblées avec des enfants, les acclamations *suivent* la prière d'anamnèse (on désigne ainsi la prière introduite par les mots « Faisant mémoire... » ; faire anamnèse, c'est se rappeler pour actualiser).

III : « Regarde, Seigneur, le sacrifice de ton Église (le nôtre !), et daigne y reconnaître celui de ton Fils... »

« Et nous te rendons grâce... » C'est la reprise du thème principal de la prière. Effectivement, nous rendons grâce à Dieu pour les actes centraux de la vie du Christ, pour notre participation à ces mystères, et parce qu'il nous a choisis pour servir, en sa présence.

Humblement, nous te demandons...

La prière passe à nouveau à la demande. Les dons qui ont été sanctifiés, nous demandons à Dieu que, par l'Esprit encore, ils servent à notre sanctification ; qu'en y communiant, « nous devenions ce que nous recevons », aurait dit saint Augustin ; que la réception du corps eucharistique du Christ nous constitue en son corps ecclésial. La succession des deux épiclèses met ainsi admirablement en lumière la visée de l'eucharistie, qui n'est ni la consécration ni l'adoration, mais bien la communion. L'Esprit sanctifie les dons pour que les dons sanctifient ceux qui les reçoivent. Comme dit le diacre dans la liturgie byzantine, avant la communion : « Les réalités saintes sont pour les saints » *(Sancta sanctis)*.

Où en sommes-nous, dans notre itinéraire spirituel ? Nous sommes constitués partie prenante de la mort de Jésus, de son acte d'amour décisif, ainsi que de sa Résurrection, c'est-à-dire de l'action de Dieu en sa faveur. Nous sommes invités à suivre le Christ jusque là, dans un climat d'action de grâce qui évite l'éventuelle compréhension masochiste du « sacrifice ». Au contraire, l'invocation de l'Esprit nous fait saisir que la communion et la constitution de la communauté chrétienne ne sont pas seulement le fruit de nos efforts, mais d'abord l'œuvre de l'Esprit d'amour.

Souviens-toi, Seigneur...

Sur la lancée de la demande de l'Esprit, la prière passe aux intercessions. C'est le mouvement de la prière judéo-chrétienne : après le rappel des merveilles de Dieu (anamnèse), on lui demande de les poursuivre pour nous, aujourd'hui. La supplication ne constitue pas le thème fondamental de la prière, mais il en découle, pour ainsi dire : si Dieu s'est montré tel, comment ne pas lui confier nos préoccupations et nos prières, surtout celles du corps qui est en train de se constituer par l'action eucharistique[1] ? On prie pour la communion ecclésiale, pour les défunts, et pour les participants, afin qu'ils soient animés de l'espérance du Royaume.

À Toi, Dieu, tout honneur et toute gloire.

Ayant ainsi accompli le programme qu'elle s'était proposé, la prière peut se couronner ; par le Christ, dans l'Esprit, elle rend à Dieu tout honneur et toute gloire ! Elle réalise ainsi le projet annoncé au départ (« Rendons grâce au Seigneur notre Dieu »). C'est le lieu où, proches de la communion, les participants deviennent en vérité l'Église, et réalisent leur vocation la plus profonde : chanter la gloire de Dieu par toute leur vie. On est prêt à dire ensemble le *Notre Père,* à recevoir la paix et à la transmettre, et à communier.

Conclusion.

Prière eucharistique et vie spirituelle ? Oui. La prière eucharistique propose tous les éléments essentiels d'une vie authentiquement spirituelle, et les dispose pour nous :
— le rapport aux autres, puisqu'il faut se rassembler

1. Cette perspective permet de faire la distinction entre les demandes de la prière eucharistique, normalement orientée vers l'Église elle-même qui fait eucharistie, et celles de la prière universelle, plus largement ouvertes.

pour faire eucharistie ; la prière le sait, qui est toujours formulée en « nous » ;

— le rapport à Dieu ; la présence du Ressuscité est souhaitée dès la première phrase de la prière, par la parole même que l'ange adressa à Marie ;

— la mise en présence des mystères centraux de la vie du Christ, sa mort et sa Résurrection, le drame de son échec humain et la merveille de la victoire de Dieu sur toute forme de mort ;

— et cela grâce à l'Esprit qui vivifie toutes choses ;

— dans l'éclat du chant et la splendeur de la louange, qui nous associent à la prière de toute l'Église et aux cantiques des anges ;

— sans oublier la communion avec les sœurs et frères chrétiens, et ceux qui souffrent, accomplissant ainsi dans leur chair la passion du Christ.

Bref, la prière eucharistique assure notre inscription dans l'histoire du salut ; l'Esprit nous fait vivre du mystère du Christ, pour la louange du Père. Voilà qui fait le chrétien, plus radicalement que ses engagements de toute sorte et sa vie morale.

La grande différence entre la prière personnelle et la liturgie, outre l'aspect communautaire de celle-ci, c'est qu'elle ne part pas de nos préoccupations, mais qu'elle nous rend participants aux actes mêmes de Jésus, notre Seigneur. Cela peut nous dérouter, si notre prière personnelle en est habituellement très éloignée. Mais il est difficile de nier la consistance de la prière liturgique, si dense que parfois elle effraie. On voit que pour y entrer, il suffit de nous laisser faire par elle, de la suivre, d'inscrire ses mots sur nos lèvres et dans notre cœur. C'est ainsi qu'elle nous atteindra.

Dans sa lettre à l'occasion du vingt-cinquième anniversaire de la constitution conciliaire sur la liturgie, Jean-Paul II écrit : « La liturgie est la grande école de la prière de l'Église[1]. » J.-Y. Hameline commente :

1. JEAN-PAUL II, *La Réforme de la liturgie dans l'esprit de Vatican II*, 4 décembre 1988, n° 10, § 6.

> Ce qui revient à dire que la prière de l'Église est l'école de la prière de l'Église. On peut y comprendre que l'Église n'est pas démunie d'une « grande école de prière » où se dispenserait un enseignement tout pastoral dont les destinataires seraient les fidèles ; ne faut-il pas plus profondément y voir comme un lieu matriciel où l'Église en tant que telle se trouve enracinée, confrontée à elle-même, mise à l'épreuve dans son être même d'*Ecclesia orans* [d'Église priante, d'Église en prière], dans lequel elle se connaît et reconnaît, s'entretient et se reçoit[1] ?

Pourquoi pareils développements paraissent-ils curieux, voire insolites ? Parce que nous ne sommes guère habitués à participer à la liturgie, singulièrement à la prière eucharistique, ou à entendre le projet de participation à ce niveau de profondeur. Parce que, des siècles durant, nous avons eu l'habitude de prier pendant le laps de temps que durait la messe, à l'aide de prières de dévotion, sans être associés au mystère lui-même. Le phénomène était renforcé par l'usage du latin, et par une ecclésiologie accentuant la différence entre le prêtre et les laïcs. La difficulté provient aussi du fait des théologiens, il faut le reconnaître ; au Moyen Âge, ils ne se sont plus intéressés qu'à un seul aspect de l'eucharistie, les modalités de conversion du pain et du vin ; la prière eucharistique n'a plus été considérée comme un programme d'ensemble, mais comme une succession de prières entourant la consécration, seule valorisée (par l'élévation, qui date du XIIIe siècle, et les clochettes). À la grand-messe, après le chant de la préface, la chorale entonnait le *Sanctus* qui couvrait la prière jusqu'à la consécration, puis le *Benedictus* faisait de même jusqu'à la doxologie finale ; de la prière eucharistique, l'assemblée n'entendait presque rien ; elle s'associait au chant, ce qui en l'espèce représente un subterfuge plutôt qu'une véritable participation.

Nous sommes conviés aujourd'hui à surmonter ces

1. D. et J.-Y. HAMELINE, « À propos de la liturgie “ école de prière ” », *La Maison-Dieu*, 196, 1993-4, p. 69.

obstacles, le plus simplement du monde, en suivant la prière comme on suit un itinéraire préparé sur une carte : nous nous trouverons déplacés. La proposition de la « participation », qui est le nerf du mouvement liturgique, consiste à nous associer à la prière liturgique elle-même plutôt qu'à nous satisfaire d'ersatz. C'est d'ailleurs quand on a goûté au véritable suc de la liturgie, comme à la force des textes bibliques, que l'on mesure le drame que représente le fossé qui s'est établi entre ces sources vives et le peuple chrétien, entre les psaumes ou le chant du *Sanctus* et les prières de dévotion.

Les chrétiens sont faits par les sacrements. Cette phrase n'est pas seulement une affirmation théologique, ou plutôt elle en a toute la force. C'est vrai, singulièrement, de la prière eucharistique, si l'on veut bien y entrer, et en faire l'expérience.

EN GUISE DE CONCLUSION

ADRESSE À DES GÉNÉRATIONS SUCCESSIVES

Faut-il tirer des conclusions des pages qui précèdent ? Elles sont limpides. La liturgie se présente comme une activité de type communautaire, d'un autre ordre que la prière personnelle. C'est une action qui prend l'être tout entier, cœur et esprit, mais par l'intermédiaire du corps et des sens. Son intelligence n'est pas de nature spéculative, mais concrète, telle une initiation, ou l'apprentissage culturel. Comment y entrer et la faire sienne ? Comme toute œuvre humaine, il faut l'aborder avec intérêt et sympathie, l'âme en éveil ; oserait-on dire qu'il n'y a plus, ensuite, qu'à se laisser faire par ce qu'elle propose, se laisser prendre par ses mots et ses gestes, par ses chants et sa beauté ? L'attitude première, pour les liturges comme pour l'assemblée, consiste à habiter le rite, à se brancher sur son énergie symbolique pour que celle-ci fasse son œuvre en nous et déploie toutes les virtualités de nos existences.

Inutile d'en dire plus, au risque de répéter ce que j'ai écrit dans les pages qui précèdent. J'aimerais terminer ce livre en m'adressant à ceux pour qui je l'ai principalement rédigé, aux personnes de ma génération et à celles des générations suivantes.

À ma génération.

Du point de vue qui nous occupe, je relève deux caractéristiques qui ont marqué les gens de ma génération. Ils ont encore connu la liturgie en latin ; si ce que j'ai écrit sur l'apprentissage culturel a quelque pertinence, on comprend la profondeur des traces qu'elle a pu laisser en eux. Ils ont encore dans l'oreille de leur enfance, avec l'aura qui entoure cette période de la vie, des chants qu'ils n'entendent plus guère aujourd'hui ; ils ont encore devant les yeux le prêtre montant à l'autel, *Introibo ad altare Dei*, entrant seul comme dans le saint des saints. Même s'ils avaient ardemment désiré la réforme liturgique et s'ils l'ont reçue avec enthousiasme, elle a constitué une rupture dans leur manière de se rapporter à la liturgie. Cela vaut, a fortiori, pour les personnes plus âgées que moi.

Ma génération a connu une autre rupture, culturelle celle-ci, qu'il est convenu de résumer par l'expression « Mai 68 ». Les mouvements de l'époque, qui se sont déployés de Berkeley jusqu'à Rome, ont profondément influencé l'évolution culturelle, même pour ceux qui ne sont pas montés sur les barricades. Qui dira les relations exactes entre ces deux ruptures, liturgique et culturelle, entre les causes et les effets ? Il me paraît en tout cas indéniable que dans nos pays les idées de Mai 68 se sont greffées sur les projets de réforme liturgique.

Quelles étaient donc ces idées ? Dans le domaine qui nous concerne, elles se nommaient créativité, spontanéité, antiritualisme et plus largement contestation de l'institution. Idées respectables, là n'est pas la question. Mais elles nous ont entraîné, à l'époque, à ne pas prendre suffisamment en compte la spécificité de l'action liturgique ; beaucoup ont cru que l'on pouvait recréer la liturgie sur la base de ces idées neuves, d'autant plus que l'Église universelle se trouvait engagée dans un processus de réforme.

Or si la créativité, par exemple, a sa place dans la

liturgie, elle ne peut la remplacer. C'est là le nœud de l'affaire. Car la créativité a été comprise, à ce moment, comme la mise à mort de la liturgie prescrite au profit de l'inventivité, de la fête sinon du *happening*. En valorisant ces notions, rappelons-nous les publications de H. Cox[1], on a cru trop rapidement que la « vraie » liturgie devait se défaire du rite, trop vite assimilé au ritualisme. Pris dans la critique des institutions, on n'a pas assez vu que la liturgie était un dispositif institué, susceptible de se faire instituant de nos existences[2].

Le résultat en fut la négligence du rite. Quel paradoxe ! L'Église en vivait depuis des siècles, et le catholicisme s'était même défini par lui à l'encontre du protestantisme fondé sur la parole. Or tout cela s'est comme écroulé en quelques années ; on a confondu instituant social et expression personnelle. Confusion intellectuelle, il faut le reconnaître ; mais il est plus facile d'en faire l'analyse aujourd'hui qu'en 1970.

Le point essentiel, en tout cela, me paraît la méconnaissance du rite ; on ne croyait pas qu'il pouvait produire les effets voulus par la réforme ; et l'on a fait confiance aveugle à la parole. Une parole que l'on n'a pas toujours maintenue sur le plan rituel, mais qui a souvent glissé sur celui de l'explication, du commentaire et de la glose. Comme la participation « consciente » avait été souhaitée par le Concile, on s'est cru fidèle à la constitution conciliaire en laissant libre cours à l'explication des actes plutôt qu'à leur réalisation[3]. Certains ont assigné un objectif à la liturgie : la conscientisation ; beaucoup ont confondu catéchèse et liturgie. Les lumières, enfin, dans les ténèbres liturgiques !

Bientôt les effets se sont fait sentir : l'ennui des partici-

1. H. COX, *La Fête des fous. Essai théologique sur les notions de fête et de fantaisie,* Paris, 1971.

2. Lire à ce propos les chapitres X et XI du livre de L.-M. CHAUVET, *Symbole et sacrement : une relecture sacramentelle de l'existence chrétienne,* Paris, Éd. du Cerf, coll. « Cogitatio fidei », 144, 1987.

3. Il m'est ainsi arrivé de participer à des préparations de messe qui se terminaient par la question, pas toujours ironique : à quoi bon aller à cette messe, dimanche, puisque ce soir nous avons si bien compris ce qu'elle veut nous dire ?

pants, harcelés par les idées des animateurs ; l'épuisement de ceux-ci à la tâche de ladite créativité ; le renforcement de l'opposition entre religion populaire et liturgie.

Mais l'expérience constitue la meilleure école ; malgré ces aléas, on a réappris — sciences humaines aidant — la fonction du rite ; on a constaté que le rite rassemble, alors que l'explication, qui fait plus appel à l'entendement, risque continuellement de séparer.

Ajoutons que les courants théologiques des années 60 et 70, si intéressants qu'ils aient été, n'ont pas davantage favorisé l'intelligence de la liturgie. Les idées en vogue étaient celles de la sécularisation. L'opposition foi-religion n'encourageait guère la prise en compte du corps et des gestes, des rites et des symboles ; la faveur allait à la foi, trop facilement confondue avec l'expression orale de la foi consciente. De ce climat se dégageait l'impression que pour s'intéresser encore à la liturgie il fallait être quelque peu réactionnaire [1]. Si l'élan conciliaire était toujours vivace, l'enthousiasme manquait pour s'atteler avec ténacité à l'intelligence de la liturgie renouvelée.

Avouons que nous avons été mal pris. Après ces bouleversements culturels, certains n'ont pas retrouvé leur équilibre, d'autres n'ont pu se défaire d'une certaine agressivité.

Aux gens de ma génération, qui ne s'y retrouvent pas toujours, ce livre peut-il offrir une piste ? Elle consiste à reconnaître que les valeurs de Mai 68 ne constituent pas un critère absolu, et que la liturgie, en ce qui la concerne, possède elle aussi une certaine intelligence. Il vaut la peine de lui laisser sa chance. Faire cette proposition, ce n'est pas renier nos idéaux de jeunesse ; c'est reconnaître que les activités humaines sont plus complexes qu'on ne l'avait cru, et que le rite lui aussi détient des ressources intéressantes. On peut goûter la liturgie en se laissant prendre, de manière innocente si l'on ose dire, sans rien perdre pour

1. Dom Thierry MAERTENS, directeur de *Paroisse et liturgie,* a réuni à l'époque une série d'études sous le titre : *Faut-il encore une liturgie ? Liturgie, religion et foi,* Paris, coll. « Vivante liturgie », 82, 1968.

autant de la modernité critique. On se situe à des plans différents.

Aux générations plus jeunes.

Mais il est des générations suivantes qui ont toujours connu la liturgie de Vatican II, sans éprouver cette impression de nouveauté, tout au moins de différence par rapport à un passé qu'elles n'ont pas vécu. On aurait pu croire que la pratique de la liturgie renouvelée, célébrée dans leur langue, leur ferait acquérir de nouveaux réflexes, dans le sens des idées énoncées dans ce livre ; il n'en a pas toujours été ainsi. Rien ne se fait automatiquement. Surtout, on mesure là à quel point la liturgie est un phénomène culturel ; elle véhicule des images et des mélodies qui persistent bien plus longtemps que leur utilisation effective ; il suffit pour s'en convaincre de voir les clichés qui continuent à sévir à ce propos dans les films.

J'aimerais demander, à ces générations plus jeunes que la mienne, de ne pas être trop sévères à l'égard des résultats de la réforme liturgique, et de ne pas la juger trop rapidement au vu de réalisations dont certaines sont piètres. Elles sont le fait de personnes, prêtres ou laïcs, mal préparées à son égard, qui accomplissent les rites nouveaux sans les habiter véritablement ni en percevoir toute la portée. On peut regretter ces célébrations qui n'en sont guère et qui déçoivent par rapport à de légitimes attentes. Mais il faut mettre au crédit de la génération précédente le courage d'avoir fait la réforme et de s'y être lancée avec zèle ; ce n'est pas rien.

Je souhaiterais aussi que les générations qui suivent la mienne ne sombrent pas trop facilement dans la nostalgie du passé, distillée d'ailleurs par certains de leurs prédécesseurs. Cela vaut pour certaines formes de dévotion, dont on pensait qu'une théologie plus fondée et une sensibilité œcuménique les feraient tomber en désuétude. C'est probablement envers le chant grégorien que la nostalgie est la plus forte. On peut le comprendre, vu la qualité spirituelle de ce répertoire. Mais c'est en disque compact que le grégorien est sublime ! Exécuté par les chorales paroissiales, il ne l'était pas toujours plus que les chants d'aujourd'hui. Et surtout, on chantait moins avant la réforme qu'après elle ; à la messe basse des dimanches de mon enfance, je n'ai jamais entendu de plain-chant.

Aux personnes qui se trouvent aujourd'hui hésitantes à l'égard de la valeur de la réforme liturgique, je suggère donc de mesurer les enjeux, de reprendre contact avec les sources vives du Mouvement liturgique et ses idéaux, et de ne pas condamner le projet de réforme sur la base de ses réalisations insatisfaisantes. Les fondements sont solides ; c'est leur intégration qui n'a pas encore été suffisante. On attend que chaque génération apporte sa pierre, et un souffle nouveau.

Envol.

L'air est-il en train de changer ? Une nouvelle génération se lève-t-elle aujourd'hui ? Une conscience plus vive se développe de l'intérêt des célébrations liturgiques, importantes pour l'approfondissement de la propre existence des participants aussi bien que pour la solidarité d'une communauté et pour l'avenir de l'Église. Des enjeux considérables sont en cause. On perçoit de mieux en mieux que s'il n'y a plus ni liturgie ni rassemblement, il ne restera rien de l'Église, car c'est là qu'elle prend corps. Des exigences aussi s'expriment. On demande du silence — plein — , et une vraie proclamation de la Parole de vie. Quand retrouvera-t-on l'élan de l'action de grâce ? C'est sans doute par rapport au chant et à la musique que la requête de qualité se fait le plus entendre ; on s'en réjouit ! Des laïcs de plus en plus nombreux se forment non plus seulement pour donner un coup de main, mais pour apporter une aide compétente. Il est temps de relire les documents de base de la réforme conciliaire : la constitution, la *Présentation générale du Missel romain* et la *Présentation générale de la Liturgie des heures*, les « Notes doctrinales et pastorales » qui introduisent les Rituels. Beaucoup seront stupéfaits de découvrir l'intérêt de ces textes que l'on croyait connaître.

La route se trouve ainsi mieux balisée. La pratique des trente dernières années a considérablement enrichi notre expérience de la liturgie et des conditions de célébration. L'espoir est permis. Que le Souffle de Dieu nous mène où il le souhaite. « Pour la gloire de Dieu et le salut du monde. »

Choix de lectures

Il ne s'agit ici aucunement d'une bibliographie ; on en trouvera une d'ailleurs dans la plupart des ouvrages signalés ci-dessous. La liste cite d'abord des documents officiels, puis des livres qui sont soit des sortes de manuels fournissant des indications plus ou moins systématiques sur les thèmes abordés dans cet ouvrage, soit des écrits développant des idées similaires.

Documents officiels.

VATICAN II, Constitution sur la liturgie, *Sacrosanctum concilium*, 4 décembre 1963. — On la trouve en de nombreuses éditions, par exemple aux Éditions du Centurion (coll. « Documents conciliaires », 5, Paris, 1965). La meilleure édition est celle publiée par *La Maison-Dieu*, n° 155-156, 1983/3-4, avec des indications sur l'histoire du texte.

Présentation générale du Missel romain (PGMR), 6 avril 1969. — Elle est imprimée au début du missel d'autel ; elle a aussi été publiée en volume indépendant par le CNPL sous le titre *Pour célébrer la messe*, aux Éditions CLD, Chambray-lès-Tours, 1990, 189 p.

Présentation générale de la Liturgie des heures (PGLH), 11 mars 1971. — On la trouve dans le tome I de *La Liturgie des heures*, Paris, 1980, et dans une édition séparée publiée par le CNPL, Paris, 1991, avec la constitution apostolique *Laudis canticum* du 1er novembre 1970.

« Notes doctrinales et pastorales » des *Rituels*. — Tous les *Rituels* des sacrements publiés après Vatican II comprennent des introductions très instructives. On croit les connaître ; elles sont à relire.

JEAN-PAUL II, *La Réforme de la liturgie dans l'esprit de Vatican II*. — Lettre apostolique pour le vingt-cinquième anniversaire de la constitution conciliaire ; plusieurs éditions, 1988. Présente une évaluation de la réforme liturgique issue de Vatican II, et indique les chantiers qui restent à travailler.

Instruments de travail.

A.-G. MARTIMORT (éd.), *L'Église en prière. Introduction à la liturgie*, édition nouvelle, 4 vol., Paris, Desclée, 1983-1984. — Manuel où l'on trouve tous les renseignements désirables, principalement de type historique.

J. GELINEAU (éd.), *Dans vos assemblées. Manuel de pastorale liturgique,* 2 vol., Paris, Desclée, 1989. — Guide d'orientation plus pratique, pour introduire à la mise en œuvre intelligente des célébrations.

A. ADAM, *La Liturgie aujourd'hui. Précis de liturgie catholique,* Paris, Brepols, 1989, 346 p. — Contient tout ce qu'un étudiant de licence devrait savoir.

Dictionnaire encyclopédique de la liturgie, Paris, Brepols, t. I, 1993. — Articles assez fouillés sur les grandes réalités liturgiques, considérées du point de vue historique et théologique.

Assemblées du Seigneur, nouvelle série, 67 volumes, Publications de Saint-André. Les Éditions du Cerf, Paris, 1968-1975. — Pour chaque dimanche et fête, une présentation approfondie des lectures des trois années, avec des Notes doctrinales et pastorales, le tout agrémenté de textes littéraires et patristiques. Le n° 67 est un volume de tables.

Jours du Seigneur. Année liturgique, 7 vol., Publications de Saint-André-Brepols, Paris, 1988 s. — Un guide de l'année liturgique, fondé sur le nouveau lectionnaire en trois ans, et alimenté par une connaissance profonde de la liturgie.

Théologie des sacrements et de la liturgie.

M. SCOUARNEC, *Vivre, croire, célébrer,* Paris, Éditions ouvrières, 1983, 176 p. Nlle éd, Paris, Éditions de l'Atelier, coll. « Foi vivante-formation », 1995.

J.-J. VON ALLMEN, *Célébrer le salut. Doctrine et pratique du culte chrétien,* Paris-Genève, Labor et Fides, Éd. du Cerf, coll. « Rites et symboles », 15, 1984, 297 p.

L.-M. CHAUVET, *Symbole et sacrement : une relecture sacramentelle de l'existence chrétienne,* Paris, Éd. du Cerf, coll.« Cogitatio fidei », 144, 1987, 582 p. — La somme dans le domaine. D'un abord assez difficile, elle demande une formation universitaire, mais elle vaut la peine d'être étudiée.

L.-M. CHAUVET, *Les Sacrements. Parole de Dieu au risque du corps,* Paris, Éditions ouvrières, 1993, 220 p. — Les lecteurs qui n'ont pas de formation théologique commenceront par ce volume-ci plutôt que par le précédent.

Revues.

La Maison-Dieu. Revue de pastorale liturgique, Paris, Éd. du Cerf, 1945 s. — Publiée par le CNPL. Paraît quatre fois l'an. Aborde les questions sacramentelles et liturgiques sous les angles les plus divers. La meilleure revue de niveau universitaire.

Les revues citées ci-dessous poursuivent toutes le même but : aider ceux et celles qui préparent les célébrations. Elles ont toutes leurs qualités. Leur défaut est commun, et tient aux utilisateurs plus qu'aux revues elles-mêmes : servir de missel alternatif ; leurs propositions sont parfois considérées comme des liturgies « prêtes à célébrer » plutôt que comme des suggestions à adapter localement en fonction du contexte pastoral toujours particulier.

Célébrer. Revue mensuelle du Centre national de pastorale liturgique, Paris, Éd. du Cerf, 1957 s. — Chaque numéro contient un dossier sur une question actuelle de pastorale liturgique, et des matériaux pour les célébrations principalement dominicales.

Feu nouveau. Revue mensuelle d'initiation biblique et liturgique, Tournai, 1957 s. — Fournit pour chaque dimanche ou fête une solide présentation exégétique, des pistes pour les célébrations, et des propositions de prière.

Signes. Revue bimestrielle d'animation liturgique, Lyon, puis Paris, Bayard-Presse. — Comprend pour chaque dimanche ou fête une introduction aux lectures et des matériaux (y compris musicaux) pour la célébration. On y trouve aussi des réflexions sur la liturgie et sur l'actualité.

Fiches dominicales de Saint-Brieuc, hebdomadaires. — Les propositions concrètes les plus développées pour l'eucharistie de chaque dimanche.

Signes-Musique. Revue bimestrielle de chant liturgique, Paris, Bayard-Presse. — Présente des chants nouveaux, et donne des indications pour le choix des chants lors des célébrations.

Église qui chante. Revue bimestrielle de l'Association Saint-Ambroise, Moulins, 1957 s. — Offre les mêmes services que la précédente, mais on y trouve aussi des dossiers concernant les rapports chant-musique et liturgie.

TABLE DES MATIÈRES

« Liturgie »

La collection « Liturgie » continue les deux premières périodes de la collection de recherche du Centre national de pastorale liturgique : « Lex orandi » (1944-1971) et « Rites et symboles » (1974-1988), à la fois en bénéficiant des résultats acquis au cours du travail antérieur et en poursuivant la recherche.

Parmi les grandes tâches présentes, il y a notamment : aider à vivre de la liturgie en notre temps, c'est-à-dire en faire la mystagogie ; contribuer à une réflexion d'ensemble sur la Tradition liturgique de l'Église et sa portée culturelle ; étudier en profondeur les problèmes nouveaux de la pastorale liturgique et sacramentelle.

J. T. Talley : *Les Origines de l'année liturgique.*

P.-M. Gy : *La Liturgie dans l'histoire.*

P.-T. Camelot : *Spiritualité du baptême.*

P. De Clerck : *L'Intelligence de la liturgie.*

À paraître

P. Bradshaw : *La Liturgie chrétienne en ses origines.*

J. Laporte : *Théologie liturgique de Philon d'Alexandrie et d'Origène.*

Achevé d'imprimer en novembre 1995
sur les presses offset
de l'Imprimerie Bussière
à Saint-Amand-Montrond (Cher)

N° d'impression : 2795. — N° d'édition : 9968.
Dépôt légal : mars 1995.

Imprimé en France